Korporation der Kaufmannschaft von Berlin.

Handelshochschule Berlin

Eröffnung: Oktober 1906.

Organisation und Lehrplan

der Handelshochschule der Korporation der Kaufmannschaft von Berlin.

Dritte Auflage.

Mit Vorlesungs-Verzeichnis für das Winter-Semester 1906/7, Bezeichnung der Hörsäle und Sprechstunden der Dozenten.

Herausgegeben

von den

Aeltesten der Kaufmannschaft von Berlin.

BERLIN,

Verlag von Georg Reimer

1906.

Inhalt.

I.

Allgemeines.

Die Handelshochschule Berlin ist eine Schöpfung der Korporation der Kaufmannschaft von Berlin. Unter den Handelshochschulen Deutschlands ist sie die einzige, die, aus der alleinigen Initiative einer kaufmännischen Körperschaft hervorgegangen, von dieser aus eigener Kraft unterhalten wird. Begründung.

Diesem Ursprunge entsprechend, legt die neue Handelshochschule auf den Zusammenhang mit der kaufmännischen Praxis das Hauptgewicht. Weit davon entfernt, die kaufmännische Lehre verdrängen oder ersetzen zu wollen, hat sie als Studierende in erster Linie solche jungen Kaufleute in Aussicht genommen, welche die kaufmännische Lehrzeit bereits hinter sich haben; zur Gewährleistung einer gewissen gleichmäßigen Vorbildung der Studierenden wird der Besitz des Einjährigen-Freiwilligen-Zeugnisses vorausgesetzt. Diese regelmäßigen Vorbedingungen bezeichnen am besten das Bildungsprogramm der zukünftigen Hochschule. Allerdings werden die Fälle nicht selten sein, in denen die Hochschule bildungsbedürftigen jungen Leuten, die ihre Qualifikation auf andere Art dartun, nur mit großer Unbilligkeit ihre Pforten verschließen könnte. Dem Abiturienten einer vollberechtigten höheren Lehranstalt, der sich dem Kaufmannsstande zu widmen gedenkt, wird der Zutritt zur Handelshochschule nicht verwehrt werden können, da ihm alle anderen Hochschulen offen stehen; ja es ist anzunehmen, daß für viele junge Leute, die das Gymnasium vollständig absolviert haben, und die aus irgend welchen Gründen nicht alsbald in die Lehre eintreten wollen, das Studium auf der Handelshochschule einen erwünschten Übergang zum Eintritt Zusammenhang mit der kaufmännischen Praxis.

in die Praxis bieten wird. Für Lehrer und Lehrerinnen, welche sich speziell zu Handelslehrern ausbilden wollen, wird ihre Lehramts-Qualifikation an Stelle jeder anderen Vorbildung für ausreichend erachtet. Endlich ist Vorsorge getroffen, daß auch Personen, auf die keine der vorstehend genannten Qualifikationen zutrifft, bei dem Nachweis entsprechender Vorbildung von dem Aufnahme-Ausschuß zugelassen werden können. In der Hauptsache wird die neue Handelshochschule ein kaufmännisches Lehrinstitut sein und bleiben, von Kaufleuten begründet und für Kaufleute bestimmt.

Wissenschaftlicher Charakter. Wie aber einerseits der Zusammenhang mit der Handelspraxis gewahrt werden soll, so soll andererseits der wissenschaftliche Charakter einen gleich wichtigen Programmpunkt der Handelshochschule bilden. Als ihr Zweck ist hingestellt: „die für den kaufmännischen Beruf nötigen und nützlichen Wissenschaften durch Lehre und Forschung zu pflegen." In dem Erlaß vom 19. Dezember 1903, in dem die grundsätzliche Bereitwilligkeit erklärt wurde, der Ordnung der Handelshochschule die staatliche Genehmigung zu erteilen, haben der Unterrichts- und der Handelsminister als bindende Voraussetzung für diese Genehmigung das Vertrauen ausgesprochen: daß die Aeltesten der Kaufmannschaft von Berlin „bestrebt sein werden, die Handelshochschule auf gleicher Höhe wie die übrigen Berliner Hochschulen zu halten". Mit dem vollen Bewußtsein des Schwergewichts einer derartigen Voraussetzung haben die Aeltesten der Kaufmannschaft von Berlin diese Verpflichtung übernommen und sind bestrebt, ihr nachzukommen. Wenn wir heute aussprechen dürfen, daß es uns gelungen ist, für unsere Handelshochschule ein Kollegium von Dozenten zu vereinigen, das jener Bedingung entspricht, so verdanken wir dieses Gefühl der Sicherheit zu einem nicht geringen Teile der Mitwirkung des „Großen Rats der Handelshochschule", welcher in der Verwaltung der Hochschule den Aeltesten der Kaufmannschaft als gutachtliches Organ zur Seite steht. Mitglieder dieser Körperschaft sind neben Delegierten der Korporation der Kaufmannschaft und der Handelshochschule: Vertreter der Staatsregierung, der Universität und der Technischen Hochschule, des Magistrats und der Stadtverordneten, sowie der Handelskammer Berlin.

Da die Studienzeit an der Handelshochschule auf zwei Jahre bemessen ist, so war es unser Bestreben, den Lehrplan so einzurichten, daß eine sachgemäße Benutzung dieser an sich knapp bemessenen Zeit tunlichst gewährleistet wird. Diesem Zwecke dient vor allem eine sachgemäße Einführung in die Studien, die für Anfänger bestimmt ist ihnen einen Überblick über den Gesamtumfang der an der Handelshochschule gelehrten einzelnen Fächer und gleichzeitig Ratschläge für die richtige Aufeinanderfolge gewähren, außerdem auch Gelegenheit geben soll, sich bei dem betreffenden Dozenten über die genauere Einrichtung des Studienplans Rat zu holen. In weiterem Umfange soll dafür gesorgt werden, daß jeder Dozent in regelmäßigen Sprechstunden ratsbedürftigen Studenten zur Verfügung steht, damit die persönliche Belehrung zwischen Lehrern und Schülern nicht auf die Hörsäle beschränkt bleibt. Lehrplan.

Im Mittelpunkte des Unterrichts sollen, dem Spezialzwecke der Hochschule entsprechend, die sog. Handelswissenschaften stehen. Die beiden Hauptfächer der kaufmännischen Ausbildung sind von Alters her: Buchhaltung und kaufmännisches Rechnen. In beiden wird die Mehrzahl der Studierenden in ihrer kaufmännischen Lehrzeit bereits ausgebildet sein, sodaß der Handelshochschule mehr die schwierigeren Fälle der Buchhaltung, die Lehre von ihrem systematischen Aufbau, die genaueren Einzelheiten der Bilanzenkunde, Arbitrage, Wechselrechnung, höhere kaufmännische Arithmetik u. a. vorbehalten bleiben; daneben wird allerdings auch für einen Unterricht in den Anfangsgründen in irgend einer Form zu sorgen sein, schon im Interesse des nichtkaufmännischen Teiles der Zuhörer (zukünftige Handelslehrer, Handelskammersekretäre u. s. w.). Neben jenen beiden älteren handelswissenschaftlichen Fächern nimmt die neu aufkommende Handelsbetriebslehre — sowohl die allgemeine, wie die der einzelnen Handelszweige — eine ständig steigende Bedeutung ein. Allen diesen Fächern sollen nicht nur Vorträge gewidmet sein, sondern auch die Übungen im „Handelswissenschaftlichen Seminar", dem die Sammlungen der Aeltesten der Kaufmannschaft von Berlin, insbesondere das seit mehreren Jahren begründete Archiv für Wertpapiere, zur Verfügung stehen. Der Geschichte und Technik einzelner wichtiger Gewerbszweige (Elektrizitätsindustrie, Metalle und Maschinen, Textilndustrie u. s. w.) sollen Einzelvorträge gewidmet werden, wie solche auch im Anschluß an bestehende Einrichtungen der Korporation der Kaufmannschaft in Aussicht genommen sind (wie über das Verkehrsbureau der Korporation, über dessen Eisenbahn- und Zollauskunftsstelle, sowie über die Einrichtungen an der Berliner Fondsbörse, an der Berliner Produktenbörse etc.).

An den Unterricht in den Handelsdisziplinen schließt sich die wissenschaftliche Vertiefung nach der volkswirtschaftlichen und juristischen Seite an. Die erstere muß sich zur Aufgabe machen, den zukünftigen Kaufmann für das Durchdenken seines Berufslebens unter höheren volkswirtschaftlichen Gesichtspunkten zu erziehen. Neben den Vorlesungen über allgemeine (theoretische) und über praktische Nationalökonomie (Gewerbe- und Handelspolitik etc.), sollen solche über Statistik, über Genossenschaftswesen, über sozialpolitische Einrichtungen aller Art dem gleichen Zwecke dienen, und besondere Kurse sind für die verschiedenen Seiten der Versicherungswissenschaft (die Lehre von der privaten, wie von der öffentlichen, insbesondere auch von der Arbeiterversicherung, Versicherungsrechnung etc.) eingerichtet. Die juristischen Vorlesungen werden zwar die den Kaufmann besonders interessierenden Partien, wie Handelsrecht, Wechselrecht, Eisenbahnrecht u. s. w. in den Vordergrund stellen, aber stets die allgemeine Ausbildung im juristischen Denken überhaupt im Auge behalten. Den volkswirtschaftlichen wie den juristischen Fächern gemeinsam wird der Gesichtspunkt sein, daß der junge Kaufmann nicht nur für die engere Tätigkeit in seinem Geschäft, sondern gleichzeitig auch für die Tätigkeit im öffentlichen Leben erzogen werden soll: in kaufmännischen Interessenvertretungen, im kommunalen, im staatlichen Leben.

Die geographischen und historischen Vorlesungen werden an die Kenntnisse, welche die Studierenden von dem früheren Schulbesuche mitbringen, anknüpfen, aber überall den wirtschaftlichen Gesichtspunkt in den Vordergrund stellen, sodaß die Handels- und Wirtschaftsgeographie der verschiedenen Länder ebenso wie die Geschichte des deutschen und außerdeutschen Handels, die Kolonialgeschichte etc. den Hauptgegenstand des Unterrichtsstoffes zu bilden haben werden.

Der naturwissenschaftliche Unterricht wird Chemie und Physik umfassen und mit der ersteren die gesamte Warenkunde, mit der letzteren die Technologie des Fabrikbetriebes verbinden. Für diejenigen, die nicht die Absicht haben, in Physik und Chemie eingehende Studien zu machen, wird durch kurzgefaßte Vorlesungen über einzelne Punkte, namentlich über wichtige Neuentdeckungen, gesorgt werden, während denen, die über das Maß der Vorlesungen hinausgehen wollen, sowohl das physikalische wie das chemische Laboratorium für das eingehende Studium in weitestem Umfange zur Verfügung stehen.

Der Unterricht in fremden Sprachen wird hauptsächlich Englisch, Französisch, Spanisch und Russisch umfassen. Studierenden, welche Kurse in anderen europäischen Sprachen (Italienisch, Portugiesisch, Holländisch, Dänisch, Schwedisch etc.) zu nehmen, oder eine Ausbildung in außereuropäischen Sprachen (Japanisch, Chinesisch, Arabisch, Suaheli etc.) zu erlangen wünschen, wird bei ausreichender Beteiligung zu Beginn des Semesters Gelegenheit dazu gegeben werden. Durchgehendes Prinzip des Sprachunterrichts an der Handelshochschule Berlin ist es, durch Beschränkung der Teilnehmerzahl an den einzelnen Kursen die Lehrerfolge zu erhöhen. Als Lehrziel wird nicht eine ungefähre, etwa für die Lektüre ausreichende Bekanntschaft mit der Sprache angestrebt, sondern eine wirkliche Beherrschung in Wort und Schrift, insbesondere auch in Handelskorrespondenz.

Neben den Fächern, welche den eigentlichen Gegenstand des Unterrichts an der Handelshochschule darstellen, soll auch durch philosophische, literarhistorische, kunstwissenschaftliche und ähnliche Vorlesungen dem allgemeinen Bildungsbedürfnis Nahrung gegeben werden. Auch werden an der Handelshochschule, ähnlich wie an Universitäten und Technischen Hochschulen, Fertigkeitslehrer angestellt werden, bei denen die Studierenden in Stenographie, im

Zeichnen (insbesondere gewerblichen Zeichnen), in der Vervollkommnung kaufmännischer Handschrift Kurse nehmen oder körperlichen Übungen (Turnen, Fechten) obliegen können.

Gebühren. Das Gesamthonorar für sämtliche Vorlesungen eines Semesters beträgt: für Deutsche 125 Mark, für Ausländer 250 Mark. Dasselbe ist zu Beginn jeden Semesters auf der Quästur einzuzahlen. Dafür ist der Studierende berechtigt, sämtliche für seinen Studiengang erforderlichen Vorlesungen, Übungen und Kurse aller Art bis zur Höhe von 24 Stunden wöchentlich zu belegen; allerdings wird, da es bei einem hochschulmäßigen Studium nicht sowohl auf möglichst vieles Hören, sondern auf möglichst vieles Verarbeiten ankommt, den Studierenden im eigenen Interesse geraten, in dem Belegen von Vorlesungen Maß zu halten und jedenfalls über die Zahl von 20 Stunden wöchentlich nicht ohne Not hinauszugehen. In dem genannten Studienhonorar sind nicht inbegriffen die Gebühren für die oben erwähnten Spezialstudien in dem physikalischen und chemischen Laboratorium. — Die Kurse der Fertigkeitslehrer in kaufmännischer Handschrift, im Zeichnen etc., sowie die Turn- und Fechtkurse stehen, ähnlich wie an anderen Hochschulen, außerhalb der Gebührenordnung und unterliegen lediglich der freien Vereinbarung zwischen Lehrenden und Lernenden.

Handelslehrer, Konsuln, Handelskammer-Sekretäre etc. Die vorstehenden Ausführungen beschäftigen sich überwiegend mit dem, was die Handelshochschule ihrem hauptsächlichsten Hörerkreis, den jungen Kaufleuten, bieten wird. Neben diesen kommen allerdings auch andere Interessentenkreise in Betracht. Daß die Handelshochschule auch für Lehrer und Lehrerinnen, die sich speziell für Handelsschulen weiterbilden wollen, bestimmt ist, ist bereits oben gesagt. Es werden über Organisation und Methode der kaufmännischen Schulen Vorträge gehalten, und in den Handelswissenschaften wird auf die Bedürfnisse der Handelslehrer besondere Rücksicht genommen werden; auch ist ein Seminar für Handelslehrer eingerichtet. Der zukünftige Konsul, und zwar Berufs- wie Wahlkonsul, wird in allen Zweigen der Handelshochschule Förderung finden; ebenso wie junge Nationalökonomen und Juristen, die sich zu Handelskammer-Sekretären etc. ausbilden wollen, Beamte und Privatleute aller Art.

Um Personen, welche zwar den Aufnahmebedingungen genügen, aber durch persönliche Verhältnisse (höheres Lebensalter, Lebensstellung etc.) verhindert sind, sich als Studierende immatrikulieren zu lassen, Gelegenheit zur Benutzung der Handelshochschule in vollem Umfange zu gewähren, ist die Möglichkeit gegeben, sie als Hospitanten zuzulassen. — Die einstündigen Vorlesungen in der Handelshochschule sollen im allgemeinen einem weiteren Kreise der Berliner Bevölkerung zugänglich sein. Zu diesen können daher „Hörer“ auch ohne Nachweis einer bestimmten Vorbildung zugelassen werden. In Ausnahmefällen können Hörer mit Genehmigung des Rektors auch andere als einstündige Vorlesungen belegen. (Gebühren für Hospitanten und Hörer s. unten S. 21.) **Hospitanten und Hörer.**

Damit der neuen Hochschule von vornherein würdige und geeignete Räumlichkeiten zur Verfügung stehen, ist in den Jahren 1904/06 auf dem Grundstücke der Korporation der Kaufmannschaft in der Spandauerstraße, Neuen Friedrichstraße und Heiligegeistgasse ein eigenes monumentales Hochschulgebäude errichtet worden. Die Örtlichkeit, in unmittelbarer Nähe des Börsengebäudes, des Brennpunktes für den Handelsverkehr der Reichshauptstadt, welches gleichzeitig Verwaltungsgebäude der Aeltesten der Kaufmannschaft ist, bringt die enge Verbindung dieser Hochschule mit dem kaufmännischen Leben nicht nur äußerlich zum Ausdruck (ein an sich pädagogisch nicht unwichtiges Moment, welches mit dazu beitragen dürfte, zu verhindern, daß die jungen Leute während des Hochschulbesuchs sich lediglich als Studierende fühlen und sich dem Denken und Empfinden des Kaufmannsstandes etwa entfremden könnten), sondern wird auch für den inneren Betrieb des Unterrichts die Ausführung des Planes ermöglichen, daß die aus dem praktischen Leben hervorgegangenen Einrichtungen der Korporation, ihr Verkehrsbureau mit seiner Eisenbahn- und Zollauskunftsstelle, die Fondsbörse und die Getreidebörse, das Archiv für Wertpapiere u. s. w. ohne Schwierigkeiten zur Verfügung stehen. Diese und sämtliche andern Einrichtungen der Korporation befinden sich in ihren auf demselben Bebauungsblock belegenen Gebäuden und werden, durchweg dem täglichen Betriebe des Geschäftslebens dienend, für den engen Zusammenhang auch der theoretischen Studien **Gebäude.**

an der Handelshochschule mit der Geschäftspraxis die beste Gewähr bieten. Insbesondere gilt dies auch von der Bibliothek der Korporation der Kaufmannschaft von Berlin, welche gleichzeitig die Handelshochschul-Bibliothek bilden wird.

Bei der Herstellung des Gebäudes stellte sich eine gewisse Schwierigkeit dadurch heraus, daß auf dem gewählten Grundstücke sich ein der Erhaltung würdiges Baudenkmal der Berliner Architektur befand: die Heilige Geist-Kapelle, welche, dem dreizehnten Jahrhundert entstammend, für das älteste kirchliche Gebäude Berlins gilt. Dieser Pietäts- und kunsthistorischen Rücksicht zuliebe ist das Baudenkmal in seinem ganzen Umfange konserviert und dem Hochschulgebäude als einer seiner Hörsäle eingegliedert worden. In dem Gebäude sind 11 Hörsäle von 40 bis 250 Personen enthalten. Ein Flügel des Gebäudes ist dem physikalischen sowie dem chemischen Laboratorium eingeräumt, mit denen 2 weitere Hörsäle für je 80 bis 100 Personen verbunden sind. Die im obersten Stockwerk befindliche Aula ist auf etwa 500 Personen berechnet. Außerdem sind besondere Räumlichkeiten für ein handelswissenschaftliches, ein rechts- und volkswirtschaftliches, ein geographisches, ein sprachliches Seminar etc. und für die damit verbundenen Sammlungen vorgesehen; ein Lesesaal, der den Studierenden ermöglicht, auch freie Zwischenstunden mit nützlicher Beschäftigung auszufüllen; Verwaltungsräume für Rektor und Sekretariat; Sprechzimmer der Dozenten; Erfrischungsräume u. a. m. Besondere Sorgfalt ist der hygienisch zuverlässigen Einrichtung des Baues gewidmet. Mit der Zentralheizung sind Fernthermometer verbunden, die es ermöglichen, von einer Zentralstelle aus die Temperatur in den einzelnen Räumen zu regeln und namentlich eine Überheizung zu verhüten. Die Ventilation ist nach den neuesten technischen Fortschritten eingerichtet und wird durch elektrischen Antrieb in Bewegung gesetzt.

Das ganze Gebäude ist von einem Uhr- und Läutewerk durchzogen, welches die genaue Normalzeit angibt und von 2 zu 2 Minuten einstellbar ist. Das „akademische Viertel“ als die hergebrachte Pause zwischen zwei Vorlesungen, soll beibehalten werden. Das Läutewerk wird auf 12 und

14 Minuten nach voll eingestellt, sodaß der zweimalige Ruf den pünktlichen Beginn der Vorlesung ohne nachträgliche Störungen sicherstellt.

Wenngleich die Handelshochschule in der Hoffnung begründet wird, daß es ihren Besuchern nicht um die Erlangung von Titeln, Berechtigungen oder Ehrenzeugnissen, sondern lediglich um die Erwerbung solider Kenntnisse und um die innere Ausbildung ihrer Persönlichkeit zu tun ist, so ist doch den Studierenden, die über ihre Studienerfolge ein amtliches Zeugnis zu erlangen wünschen, vor einer staatlichen Prüfungskommission, unter Vorsitz eines vom Handelsminister ernannten Prüfungskommissars, Gelegenheit dazu gegeben; ebenso wie die Prüfung der Handelslehrer durch eine besondere Ordnung geregelt ist. **Prüfungen.**

Die Einzelheiten der Organisation und des Lehrplanes der Handelshochschule sind aus den nachfolgenden Ordnungen und Verzeichnissen zu ersehen.

Berlin, den 6. Juni 1906.

Die Aeltesten der Kaufmannschaft von Berlin.

Kaempf. ***Weigert.*** ***Helfft.***

II.

Ordnung

der Handelshochschule der Korporation der Kaufmannschaft von Berlin.

Vom $\frac{\text{21. Dezember 1903}}{\text{4. Januar 1904.}}$

§ 1.

Wirtschaftliche Grundlage.

Die Handelshochschule zu Berlin ist eine Einrichtung der Korporation der Kaufmannschaft von Berlin.

§ 2.

Zweck.

Der Zweck der Handelshochschule ist, die für den kaufmännischen Beruf nötigen und nützlichen Wissenschaften durch Lehre und Forschung zu pflegen. Insbesondere ist es ihre Aufgabe:

1. Jungen Kaufleuten, unter steter Berücksichtigung der praktischen Verhältnisse, eine vertiefte allgemeine und kaufmännische Bildung zu vermitteln,
2. angehenden Handelsschullehrern und Handelsschullehrerinnen Gelegenheit zur Erlangung der erforderlichen theoretischen und praktischen Fachbildung zu geben,
3. praktischen Kaufleuten und Angehörigen verwandter Berufe die Möglichkeit zu gewähren, sich in einzelnen Zweigen des kaufmännischen Wissens auszubilden,
4. Justiz-, Verwaltungs-, Konsulats-, Handelskammer-Beamten etc. Gelegenheit zur Erwerbung kaufmännischer und handelswissenschaftlicher Fachkenntnisse zu bieten.

§ 3.

Verwaltung.

Die Verwaltung der Handelshochschule steht den Aeltesten der Kaufmannschaft von Berlin zu.

Dem Aeltesten-Kollegium dient als gutachtliches Organ der „Große Rat der Handelshochschule“.

Derselbe besteht aus:

1. dem Präsidenten des Aeltesten-Kollegiums oder dessen Stellvertreter, als Vorsitzenden,
2. zwei Vertretern der Staatsregierung, von denen der eine vom Minister für Handel und Gewerbe, der andere vom Minister der geistlichen pp. Angelegenheiten ernannt wird,
3. dem Rektor der Handelshochschule,
4. einem Vertreter der Universität Berlin,
5. einem Vertreter der Technischen Hochschule Berlin in Charlottenburg,
6. sechs Delegierten des Aeltesten-Kollegiums,
7. zwei Mitgliedern der Finanz-Kommission,
8. drei im Hauptamt angestellten, vom Lehrer-Kollegium zu wählenden Dozenten,
9. einem Mitgliede des Magistrats Berlin,
10. einem Mitgliede der Stadtverordnetenversammlung Berlin,
11. einem Mitgliede der Handelskammer,
12. dem Syndikus der Handelshochschule,
13. fünf sonstigen von den Aeltesten der Kaufmannschaft zu berufenden hervorragenden Persönlichkeiten, welche ihr Interesse an der Handelshochschule betätigt haben.

§ 4.

Rektor. Lehrer. Syndikus.

Die unmittelbare Leitung der Handelshochschule liegt einem Rektor mit dreijähriger Amtsperiode ob.

Der Rektor wird von den im Hauptamte angestellten Dozenten gewählt und von den Aeltesten der Kaufmannschaft nach Einholung der Zustimmung des Ministers für Handel und Gewerbe bestätigt. Der erste Rektor wird von den

Aeltesten der Kaufmannschaft mit Zustimmung des Ministers für Handel und Gewerbe ernannt.

Die Lehrer der Handelshochschule zerfallen in Dozenten im Hauptamte, Dozenten im Nebenamte, Privatdozenten und Lektoren. Sie werden nach Anhörung des Großen Rats der Handelshochschule von den Aeltesten der Kaufmannschaft ernannt. Für die Anstellung der an der Hochschule hauptamtlich wirkenden Dozenten ist die Bestätigung des Ministers für Handel und Gewerbe erforderlich.

Privatdozenten können nach Maßgabe einer von den Ministern für Handel und Gewerbe und der geistlichen pp. Angelegenheiten erlassenen Habilitationsordnung zugelassen werden.

Als Ratgeber bei den die Handelshochschule betreffenden Rechtsangelegenheiten und für Mitwirkung bei Ausübung der Gerichtsbarkeit wird von den Aeltesten der Kaufmannschaft ein Syndikus der Handelshochschule ernannt.

§ 5.

Aufnahme-Ausschuß. Aufsicht.

Zur Erledigung der mit der Aufnahme der Studierenden verbundenen Geschäfte bildet der Große Rat der Handelshochschule aus seiner Mitte einen Aufnahme-Ausschuß, welcher zugleich die Aufsicht über die Studierenden der Handelshochschule führt.

Derselbe besteht aus:

dem Rektor,
dem Syndikus der Handelshochschule,
drei Dozenten der Handelshochschule,
zwei Delegierten des Aeltesten-Kollegiums.

§ 6.

Aufnahme-Bedingungen.

Zum Besuche der Vorlesungen und Übungen sind berechtigt:

a. Studierende,
b. Hospitanten,
c. Hörer.

Als Studierende können aufgenommen werden:

1. Kaufleute, welche die Berechtigung zum einjährig-freiwilligen Dienst erworben und die Lehrzeit beendet haben,
2. Abiturienten der höheren neunjährigen deutschen Lehranstalten und solcher Lehranstalten, deren oberste Klasse der Ober-Prima der vorgenannten Anstalten entspricht,
3. Akademische und solche seminaristisch gebildete Lehrer und Lehrerinnen, welche die zweite Lehramtsprüfung bestanden haben,
4. Personen, welche diesen Bedingungen zwar nicht entsprechen, aber nach Ansicht des Aufnahme-Ausschusses eine genügende Vorbildung nachzuweisen vermögen.

Die vorstehenden Bestimmungen zu 2—4 finden auch auf Ausländer Anwendung.

Über die Zulassung von Hospitanten und Hörern bleibt der Erlaß weiterer Bestimmungen im Einverständnis mit dem Minister für Handel und Gewerbe vorbehalten.

§ 7.

Aufnahme.

Die Studierenden haben sich durch Namensunterschrift und Handschlag den Ordnungen der Handelshochschule zu unterwerfen. Über die erfolgte Aufnahme wird eine Bescheinigung — Matrikel — ausgefertigt.

§ 8.

Lehrplan.

Der Lehrplan umfaßt folgende Haupt-Abteilungen:

1. Volkswirtschaft, im besonderen Bank-, Börsen-, Geld- und Kreditwesen, Genossenschaftswesen, Verkehrswesen, Handels-, Gewerbe-, Agrar-, Kolonial- und Sozial-Politik, Statistik, Finanzwissenschaft, Versicherungswesen, Handelsgeschichte, Wirtschaftsgeographie.
2. Rechtslehre: Grundzüge des Bürgerlichen Rechts, Handels-, Wechsel- und Seerecht, Versicherungsrecht, soziale Gesetzgebung, gewerblicher Rechtsschutz (Patent- Muster- und Markenschutz u. s. w.), Grundzüge der

Rechtsverfolgung, insbesondere im internationalen Verkehr, Staats-, Verwaltungs-, Völkerrecht, Strafrecht.
3. Warenkunde, Physik, Chemie, mechanische Technologie, chemische Technologie, gewerbliche Gesundheitslehre.
4. Handelstechnik, Buchführung, kaufmännisches Rechnen, Korrespondenz.
5. Methodik des kaufmännischen Unterrichts. Den Studierenden, welche sich zu Handelsschullehrern auszubilden beabsichtigen, soll Gelegenheit gegeben werden zu praktischem Unterricht und Übungen an den der Korporation der Kaufmannschaft unterstellten Lehranstalten.
6. Sprachen: englisch, französisch, spanisch, italienisch, russisch, deutsch (für Ausländer) und andere.
7. Allgemeine Geisteswissenschaften: Geschichte, Kunstgeschichte, Literaturgeschichte, Philosophie.

§ 9.

Dauer des Studiums. Prüfung.

Der Studienplan ist auf vier Semester berechnet. Die Studierenden der Handelshochschule sind berechtigt, sich einer Schlußprüfung zu unterwerfen, über deren Ergebnis ein Zeugnis ausgestellt wird. Die Prüfung erfolgt auf Grund einer vom Minister für Handel und Gewerbe genehmigten Prüfungsordnung.

§ 10.

Gebühren und Studiengelder.

Die Honorare für die Vorlesungen und die Teilnahme an seminaristischen Übungen, die Aufnahmegebühren sowie sonstige Gebühren werden nach Anhörung des Großen Rats der Handelshochschule von den Aeltesten der Kaufmannschaft festgesetzt und bekannt gemacht.

§ 11.

Ferien.

Die Ferien fallen mit denen der Universität Berlin zusammen.

§ 12.

Disziplinarstrafen.

Als Disziplinarstrafen sind zulässig:

1. Verwarnung,
2. Verweis,
3. Androhung der Entlassung,
4. Entlassung,
5. Relegation wegen ehrlosen Benehmens.

Zur Erteilung der Verwarnung und des Verweises ist der Rektor selbständig und endgültig befugt. Zur Erteilung der anderen Disziplinarstrafen ist der Aufnahme-Ausschuß (§ 5) zuständig; gegen die Entscheidung des letzteren ist binnen einer Woche die Berufung an den Großen Rat der Handelshochschule zulässig.

Berlin, den 21. Dezember 1903.

(L. S.)

Die Aeltesten der Kaufmannschaft von Berlin.

Kaempf. *Weigert.*

Vorstehender Ordnung wird die staatliche Genehmigung erteilt.

Berlin, den 4. Januar 1904.

(L. S.)

Der Minister der geistlichen, Unterrichts- und Medizinal-Angelegenheiten.
Studt.

Der Minister für Handel und Gewerbe.
Möller.

III.

Gebührenordnung

für die

Handelshochschule der Korporation der Kaufmannschaft von Berlin.

Vom 6. Juni 1906.

<table>
<tr><th></th><th>Für Deutsche
M</th><th>Für Ausländer
M</th></tr>
<tr><td>1. Für Studierende:</td><td></td><td></td></tr>
<tr><td>a) Aufnahmegebühr . . . .
Studierende, die bereits an einer andern Hochschule immatrikuliert waren, zahlen nur die halbe Aufnahmegebühr. — Mitglieder der Korporation der Kaufmannschaft von Berlin, sowie deren Söhne und Töchter sind von der Aufnahmegebühr befreit.</td><td>30</td><td>60</td></tr>
<tr><td>b) Studiengeld pro Semester . . . . .
Mit der Entrichtung des Studiengeldes erwirbt der Studierende das Recht, sämtliche Vorlesungen und Uebungen des Semesters bis zur Maximalhöhe von 24 Wochenstunden zu belegen. Doch wird den Studierenden im eigenen Interesse empfohlen, nicht mehr Vorlesungen zu belegen, als der Möglichkeit einer geordneten Verarbeitung entspricht, und jedenfalls in der Regel nicht mehr als 20 Wochenstunden. Abgesehen vom Unterricht in Fertigkeiten (Kaufmännische Handschrift, Zeichnen, Fechten, Turnen usw.), der der privaten Vereinbarung unterliegt und daher außerhalb der Gebührenordnung steht, besteht eine Sondergebühr lediglich für:</td><td>125</td><td>250</td></tr>
<tr><td>c) Praktika im physikalischen oder chemischen Laboratorium:</td><td></td><td></td></tr>
<tr><td>Großes Praktikum pro Semester .</td><td colspan="2">100</td></tr>
<tr><td>Kleines „ „ „ .</td><td colspan="2">40</td></tr>
<tr><td>d) Abgangszeugnis . . . .
Die Benutzung der Bibliothek und der Lesesäle ist für Studierende frei.</td><td colspan="2">5</td></tr>
</table>

	Für Deutsche ℳ	Für Ausländer ℳ
2. **Für Hospitanten:**		
a) Kollegiengeld für die Wochenstunde pro Semester	10	20
Immatrikulierte Studierende anderer Hochschulen entrichten für eine mehr- als einstündige Vorlesung 5 Mark für die Wochenstunde pro Semester.		
b) Gebühren für Benutzung der Bibliothek und Lesesäle seitens der Hospitanten pro Semester	5	
3. **Für Hörer:**		
Hörerkarten für den Besuch einer einstündigen Vorlesung pro Semester . . .	10	
Hörer dürfen in der Regel nur einstündige Vorlesungen belegen.		
4. **Prüfungsgebühren***)	60	120

*) Vgl. die Prüfungsordnungen.

IV.

Immatrikulationsbestimmungen

für die

Handelshochschule der Korporation der Kaufmannschaft von Berlin.

Vom 6. Juni 1906.

§ 1.

Die regelmäßigen Immatrikulationen an der Handelshochschule finden im Wintersemester vom 15. Oktober bis 1. November, im Sommersemester vom 15. April bis 1. Mai statt; nachträgliche Immatrikulationen bis zum 15. November, bezw. 15. Mai.

Außerhalb dieser Fristen können Immatrikulationen nur aus besonderen Gründen und nur mit Genehmigung des Aufnahme-Ausschusses stattfinden.

§ 2.

Wer immatrikuliert zu werden wünscht, hat sich auf dem Sekretariat während der Dienststunden persönlich anzumelden.

§ 3.

Bei der Anmeldung sind die erforderlichen Schul- und Lehrzeugnisse (Ordnung der Handelshochschule § 6) und ein polizeiliches Führungsattest von dem letzten Aufenthaltsorte zu überreichen, sowie von Studierenden, welche bereits eine andere Hochschule besucht haben, das Abgangszeugnis von dieser.

Wenn seit dem Verlassen der Schule oder Hochschule nicht mehr als ein Vierteljahr verflossen ist, so kann von der Beifügung eines polizeilichen Führungsattestes abgesehen werden.

§ 4.

Die eingegangenen Meldungen nebst den beigefügten Zeugnissen werden dem Rektor vorgelegt. Wenn die Aufnahmebedingungen zweifellos erfüllt sind, so stellt der Rektor die Vorbescheinigung aus: daß der Immatrikulation kein Hindernis im Wege stehe.

§ 5.

Wenn aus den beigefügten Zeugnissen die Erfüllung der Aufnahmebedingungen nicht zweifellos hervorgeht, so legt der Rektor die Meldung dem Aufnahmeausschuß vor (Ordnung der Handelshochschule § 5). Dieser beschließt über die Erteilung der Vorbescheinigung.

§ 6.

Die Immatrikulationstage werden am schwarzen Brett bekannt gemacht, unter genauer Bezeichnung von Ort und Zeit der Immatrikulation.

§ 7.

Sobald ein Immatrikulationstag bekannt gemacht ist, haben diejenigen, die sich zur Immatrikulation gemeldet haben, auf dem Sekretariat die Aushändigung der Vorbescheinigung nachzusuchen. Hier wird die Vorbescheinigung ausgehändigt oder eine Mitteilung über den Stand der Angelegenheit gemacht.

§ 8.

Wer die Vorbescheinigung erhalten hat, erscheint zu dem bekannt gemachten Immatrikulationstage ohne besondere Vorladung. Hierselbst zeichnet er sich eigenhändig in das Album der Handelshochschule ein, wird durch den Rektor mittels Namensunterschrift und Handschlags auf die Ordnungen der Handelshochschule verpflichtet und unter die Studierenden aufgenommen.

§ 9.

Bei der Aufnahme werden dem Studierenden ausgehändigt:

1. die Matrikel,
2. eine Legitimationskarte,
3. ein Buch für An- und Abmeldung der Vorlesungen (Meldungsbuch).

V.

Entwurf*) von Bestimmungen für Hospitanten und Hörer.

Vom 6. Juni 1906.

Als Hospitanten können zu den Vorlesungen und Übungen der Handelshochschule Personen zugelassen werden, welche den im § 6 der Ordnung der Handelshochschule aufgestellten Aufnahmebedingungen genügen, aber durch persönliche Verhältnisse verhindert sind, sich als Studierende immatrikulieren zu lassen.

Als Hörer können ohne bestimmte Vorbildung Personen aufgenommen werden, welche einstündige Vorlesungen zu belegen wünschen. Nur in Ausnahmefällen können Hörer nach Genehmigung des Rektors eine mehr als einstündige Vorlesung belegen.

---

*) Nach § 6, Absatz 4 der Ordnung der Handelshochschule sind die Bestimmungen über die Zulassung von Hospitanten und Hörern „im Einverständnis mit dem Minister für Handel und Gewerbe" zu erlassen. Der obige Entwurf unterliegt zur Zeit der Nachprüfung des Herrn Ministers.

VI.

Entwurf*) einer Prüfungsordnung
für die
Diplomprüfung
an der
Handelshochschule der Korporation der Kaufmannschaft von Berlin.

Vom 6. Juni 1906.

§ 1.

Prüfungskommission.

Die Prüfungskommission besteht aus

1. einem von dem Herrn Minister für Handel und Gewerbe im Einvernehmen mit dem Herrn Minister der geistlichen, Unterrichts- und Medizinal-Angelegenheiten zu ernennenden Vertreter der Königlichen Staatsregierung als Vorsitzenden,
2. dem Vorsitzenden des Großen Rats der Handelshochschule,
3. sämtlichen hauptamtlichen Dozenten der Handelshochschule,
4. denjenigen nebenamtlichen Dozenten, Privatdozenten und Lektoren, die der Vorsitzende der Prüfungskommission bestimmt. Die Bestimmung erfolgt auf ein Jahr im voraus.

§ 2.

Tätigkeit der Prüfungskommission und ihres Vorsitzenden.

Der Vorsitzende der Prüfungskommission hat die Geschäfte der Prüfungskommission zu leiten. In Behinderungs-

*) Vergl. oben Seite 24 und § 9 der Ordnung der Handelshochschule (S. 18).

fällen wird er von dem Vorsitzenden des Großen Rats, oder von dem Rektor vertreten.

Er hat die Mitglieder vor dem Beginn einer jeden Prüfung zu einer Sitzung zu berufen, in der das für die Prüfung Nötige geregelt wird und insbesondere die Aufgaben für die schriftliche Prüfung festgestellt werden.

Nach Schluß der Prüfung tritt die Prüfungskommission zu einer Sitzung zusammen, um für jeden Kandidaten das Gesamturteil festzustellen. Bei Stimmengleichheit gibt die Stimme des Vorsitzenden den Ausschlag.

Die Mitglieder des Großen Rates und des Aeltesten-Kollegiums, sowie die Lehrer der Handelshochschule, die nicht Mitglieder der Prüfungskommission sind, sind berechtigt, jeder Prüfung beizuwohnen. Sie sind von jedem Prüfungstermin zu benachrichtigen.

§ 3.
Bedingungen für die Zulassung.

Die Meldung zur Prüfung muß schriftlich bei dem Vorsitzenden der Prüfungskommission erfolgen.

Der Meldung sind beizufügen:

1. ein von dem Kandidaten selbst verfaßter und geschriebener Lebenslauf,
2. die Schulzeugnisse und kaufmännischen Zeugnisse des Kandidaten,
3. der Nachweis eines zweijährigen ordnungsmäßigen Hochschul-Studiums. Hiervon muß der Kandidat mindestens zwei Semester an der Handelshochschule Berlin immatrikuliert gewesen sein; von dieser Bestimmung kann jedoch die Prüfungskommission in dem ersten Jahre des Bestehens der Handelshochschule Befreiung erteilen,
4. die beglaubigten Verzeichnisse der besuchten Vorlesungen und Übungen.

§ 4.
Gegenstände der Prüfung.

Prüfungsgegenstände sind:

Handelswissenschaften (Buchhaltung, kaufmännisches Rechnen, Korrespondenz, Kontorarbeiten und Handelsbetriebslehre),

Volkswirtschaftslehre und Finanzwissenschaft,
Rechtslehre, insbesondere Handels- und Wechselrecht,
eine Fremdsprache (englisch oder französisch).

Außerdem erstreckt sich die Prüfung nach Wahl des Kandidaten auf die Grundzüge der Handelsgeographie (einschließlich Warenkunde) oder die Grundzüge der chemischen oder mechanischen Technologie oder Versicherungswissenschaft oder Genossenschaftslehre.

Die Prüfung zerfällt in einen schriftlichen Teil unter Klausur und einen mündlichen Teil.

§ 5.

Schriftliche Prüfung.

Die schriftliche Prüfung umfaßt drei Klausurarbeiten und zwar:

1. in der Volkswirtschaftslehre,
2. in einer Fremdsprache (englisch oder französisch),
3. wahlweise in der Rechtslehre oder Handelsgeographie (einschließlich Warenkunde) oder Technologie (mechanischer oder chemischer) oder Versicherungswissenschaft oder Genossenschaftslehre.

Abgesehen von der Fremdsprache, kann in einem Fache, in dem der Kandidat eine, von einem Dozenten der Handelshochschule mit „gut" beurteilte Arbeit vorlegt, die Klausurarbeit erlassen werden.

Für die Klausurarbeit in der Fremdsprache sind nicht mehr als zwei Stunden, für die beiden anderen Klausurarbeiten nicht mehr als je vier Stunden anzusetzen.

Wer zwei Klausurarbeiten „ungenügend" leistet, wird zur mündlichen Prüfung nicht zugelassen.

§ 6.

Mündliche Prüfung.

Die mündliche Prüfung umfaßt folgende Fächer:

1. Handelswissenschaften (Buchhaltung, kaufmännisches Rechnen, Kontorarbeiten, Korrespondenz, Handelsbetriebslehre),
2. Volkswirtschaftslehre, einschließlich Finanzwissenschaft, mit besonderer Berücksichtigung des Geld-,

Bank- und Börsenwesens, der Handels-, Verkehrs- und Sozialpolitik,

3. Grundzüge des privaten und öffentlichen Rechts mit besonderer Berücksichtigung des Handels- und Wechselrechts,
4. eine Fremdsprache (Englisch oder Französisch),
5. wahlweise Grundzüge der Handelsgeographie (einschließlich Warenkunde) oder Grundzüge der chemischen oder mechanischen Technologie oder Versicherungswissenschaft oder Genossenschaftslehre.

Die Gegenstände, auf welche die schriftliche Prüfung sich nicht erstreckt, sollen in der mündlichen Prüfung besonders berücksichtigt werden.

Ein Zeugnis über erfolgreiche, regelmäßige Tätigkeit in den Sprachkursen, in den Kursen über Buchführung und kaufmännisches Rechnen, oder im physikalischen oder chemischen Laboratorium findet in der mündlichen Prüfung des betreffenden Faches Berücksichtigung.

Vier Kandidaten können gleichzeitig geprüft werden.

§ 7.

Freiwillige Prüfungsfächer.

Die Prüfungen können auf Wunsch der Kandidaten auf regelmäßig an der Handelshochschule gelehrte Fächer, die nicht als Prüfungsgegenstände vorgeschrieben sind, ausgedehnt werden. Über Art und Umfang dieser fakultativen Prüfung entscheidet die Prüfungskommission.

§ 8.

Urteile.

Das Urteil für das einzelne Fach wird von dem Prüfenden unter Beifügung seiner Unterschrift erteilt.

Die folgenden Urteile sind zulässig:

Mit Auszeichnung,
Gut,
Genügend,
Ungenügend.

Die Urteile über Klausurarbeiten müssen besonders angegeben werden.

Als nicht bestanden gilt die Prüfung, wenn in zwei Einzelfächern das Urteil „ungenügend“ erteilt worden und nicht durch anderweitige gute Urteile ein Ausgleich eingetreten ist. Wie weit ein solcher Ausgleich anzunehmen ist, entscheidet die Prüfungskommission durch Stimmenmehrheit; bei Stimmengleichheit gibt die Stimme des Vorsitzenden den Ausschlag.

Das Urteil „ungenügend“ in den Handelswissenschaften oder in der Volkswirtschaftslehre kann durch gute Urteile in anderen Fächern nicht ausgeglichen werden.

Erscheint der Kandidat in dem Prüfungstermin nicht, oder tritt er während der schriftlichen oder mündlichen Prüfung zurück, ohne daß ihm ein Entschuldigungsgrund zur Seite steht, der von der Prüfungskommission als ausreichend erachtet wird, so gilt die Prüfung als nicht bestanden.

§ 9.

Diplom.

Über die bestandene Prüfung wird ein Diplom ausgefertigt.

Das Diplom muß die Prüfungsfächer und die darin erzielten Einzelurteile, sowie das Gesamturteil enthalten.

Das Diplom ist von dem Vorsitzenden und sämtlichen beteiligten Mitgliedern der Prüfungskommission zu unterzeichnen.

§ 10.

Ergänzungsprüfung zur Diplomprüfung.

Den Studierenden, welche die Diplomprüfung bestanden haben, ist es gestattet, innerhalb 5 Jahren nach dem Abgang von der Handelshochschule in allen Fächern, in denen die Prüfung nicht bereits abgelegt ist, eine Ergänzungsprüfung abzulegen.

Ausnahmsweise kann die Zulassung nach Ablauf der 5 Jahre von dem Vorsitzenden der Prüfungskommission nach Einvernehmen mit dem Rektor gestattet werden.

§ 11.

Wiederholung der Prüfung.

Ist die Prüfung nicht bestanden, so kann sie frühestens nach einem Semester wiederholt werden.

Die Prüfungskommission ist berechtigt, von den Fächern, in denen die Prüfung mit „gut“ bestanden ist, bei der Wiederholung der Prüfung zu entbinden.

Die Wiederholung der Prüfung ist nur einmal gestattet.

§ 12.

Hilfsmittel.

Dem Kandidaten ist vor der Prüfung mitzuteilen, welcher Hilfsmittel er sich bei den Prüfungsarbeiten bedienen darf, und daß die Benutzung unerlaubter Hilfsmittel die Ausschließung unter Verfall der Gebühren zur Folge hat.

§ 13.

Gebühren.

Die Prüfungsgebühren betragen für Inländer 60 Mark, für Ausländer 120 Mark.

Für jedes fakultative Fach hat der Inländer weitere 10 Mark, der Ausländer weitere 20 Mark zu zahlen.

Die Gebühren der Ergänzungsprüfung (§ 9a) betragen 30 Mark für das Wahlfach.

Bei Wiederholung der Prüfung sind die vollen Gebühren von neuem zu zahlen.

Die Gebühren sind zugleich mit der Meldung zur Prüfung an der Kasse der Handelshochschule zu entrichten.

Gilt die Prüfung als nicht bestanden, so findet eine Rückzahlung der Gebühren nicht statt.

VII.

Entwurf*) einer Prüfungsordnung

für die

Handelslehrerprüfung

an der

Handelshochschule der Korporation der Kaufmannschaft von Berlin.

Vom 6. Juni 1906.

§ 1.

Prüfungskommission.

Die Prüfungskommission besteht aus

1. einem von dem Herrn Minister für Handel und Gewerbe im Einvernehmen mit dem Herrn Minister der geistlichen, Unterrichts- und Medizinal-Angelegenheiten zu ernennenden Vertreter der Königlichen Staatsregierung als Vorsitzenden,
2. dem Vorsitzenden des Großen Rats der Handelshochschule,
3. sämtlichen hauptamtlichen Dozenten der Handelshochschule,
4. denjenigen nebenamtlichen Dozenten, Privatdozenten und Lektoren, die der Vorsitzende der Prüfungskommission bestimmt. Die Bestimmung erfolgt auf ein Jahr im voraus.

§ 2.

Tätigkeit der Prüfungskommission und ihres Vorsitzenden.

Der Vorsitzende der Prüfungskommission hat die Geschäfte der Prüfungskommission zu leiten. In Behinderungs-

---

*) Vergl. oben Seite 24 und § 9 der Ordnung der Handelshochschule (S. 18).

fällen wird er von dem Vorsitzenden des Großen Rats, oder von dem Rektor vertreten.

Er hat die Mitglieder vor dem Beginn einer jeden Prüfung zu einer Sitzung zu berufen, in der das für die Prüfung Nötige geregelt wird und insbesondere die Aufgaben für die schriftliche Prüfung festgestellt werden.

Nach Schluß der Prüfung tritt die Prüfungskommission zu einer Sitzung zusammen, um für jeden Kandidaten das Gesamturteil festzustellen. Bei Stimmengleichheit gibt die Stimme des Vorsitzenden den Ausschlag.

Die Mitglieder des Großen Rates und des Aeltesten-Kollegiums, sowie die Lehrer der Handelshochschule, die nicht Mitglieder der Prüfungskommission sind, sind berechtigt, jeder Prüfung beizuwohnen. Sie sind von jedem Prüfungstermin zu benachrichtigen.

§ 3.

Bedingungen für die Zulassung.

Die Meldung zur Prüfung muß schriftlich bei dem Vorsitzenden der Prüfungskommission erfolgen.

Der Meldung sind beizufügen:

1. ein von dem Kandidaten selbst verfaßter und geschriebener Lebenslauf,
2. bei Lehrern die Zeugnisse über die bestandenen Schulamtsprüfungen,
3. bei Nichtlehrern die Schulzeugnisse und kaufmännischen Zeugnisse, aus denen hervorgeht, daß der Kandidat außer einer mindestens zweijährigen kaufmännischen Lehrzeit noch mindestens 3 Jahre kaufmännisch tätig gewesen ist,
4. der Nachweis eines mindestens fünfsemestrigen Studiums an einer deutschen Hochschule, von dem der Kandidat mindestens 2 Semester an der Handelshochschule Berlin studiert haben muß,
5. die beglaubigten Verzeichnisse der besuchten Vorlesungen und Übungen sowie der Nachweis der Beteiligung am pädagogisch-didaktischen Seminar und am Unterrichten in der kaufmännischen Fortbildungsschule.

§ 4.

Gegenstände der Prüfung.

Prüfungsgegenstände sind:

Handelswissenschaften (Buchhaltung, kaufmännisches Rechnen, Korrespondenz, Kontorarbeiten und Handelsbetriebslehre),
Volkswirtschaftslehre und Finanzwissenschaft,
Rechtslehre, insbesondere Handels- und Wechselrecht,
Handelsgeographie,
Englisch oder Französisch.

Die Prüfung zerfällt in einen schriftlichen Teil unter Klausur und einen mündlichen Teil.

§ 5.

Schriftliche Prüfung.

Die schriftliche Prüfung umfaßt drei Klausurarbeiten und zwar:

1. in den Handelswissenschaften (Buchhaltung, kaufmännisches Rechnen, Korrespondenz, Kontorarbeiten, und Handelsbetriebslehre),
2. in der Volkswirtschaftslehre,
3. in einer Fremdsprache,
4. wahlweise in der Rechtslehre oder Handelsgeographie (einschließlich Warenkunde).

Für jede Klausurarbeit sind nicht mehr als vier Stunden anzusetzen.

Wer zwei Klausurarbeiten „ungenügend“ leistet, wird zur mündlichen Prüfung nicht zugelassen.

§ 6.

Mündliche Prüfung.

Die mündliche Prüfung umfaßt folgende Fächer:

1. Handelswissenschaften (Buchhaltung, kaufmännisches Rechnen, Kontorarbeiten, Korrespondenz, Handelsbetriebslehre),
2. Volkswirtschaftslehre, einschließlich Finanzwissenschaft, mit besonderer Berücksichtigung des Geld-, Bank- und Börsenwesens, der Handels-, Verkehrs- und Sozialpolitik,

3. Grundzüge des privaten und öffentlichen Rechts mit besonderer Berücksichtigung des Handels- und Wechselrechts,
4. Englische oder französische Sprache,
5. Grundzüge der Handelsgeographie (einschließlich Warenkunde).

Die Gegenstände, auf welche die schriftliche Prüfung sich nicht erstreckt, sollen in der mündlichen Prüfung besonders berücksichtigt werden.

Ein Zeugnis über erfolgreiche, regelmäßige Tätigkeit in den Sprachkursen, in den Kursen über Buchführung und kaufmännisches Rechnen, oder im physikalischen oder chemischen Laboratorium findet in der mündlichen Prüfung des betreffenden Faches Berücksichtigung.

Vier Kandidaten können gleichzeitig geprüft werden.

§ 7.

Probelektion.

Nach bestandener Prüfung hat der Kandidat eine Probelektion zu halten. Das Thema dazu wird von der Prüfungskommission bestimmt und 24 Stunden vorher bekannt gegeben. Die Kandidaten können in ihrer Meldung angeben, in welchem Fache sie die Probelektion zu halten wünschen.

Bei der Beurteilung der Probelektion ist der Bericht zu berücksichtigen, der von dem Leiter des pädagogisch-didaktischen Seminars über die Lehrbefähigung des Kandidaten erstattet worden ist.

§ 8.

Freiwillige Prüfungsfächer.

Die Prüfungen können auf Wunsch der Kandidaten auf regelmäßig an der Handelshochschule gelehrte Fächer, die nicht als Prüfungsgegenstände vorgeschrieben sind, ausgedehnt werden. Über Art und Umfang dieser fakultativen Prüfung entscheidet die Prüfungskommission.

§ 9.

Urteile.

Das Urteil für das einzelne Fach wird von dem Prüfenden unter Beifügung seiner Unterschrift erteilt.

Die folgenden Urteile sind zulässig:

Mit Auszeichnung,
Gut,
Genügend,
Ungenügend.

Die Urteile über Klausurarbeiten müssen besonders angegeben werden.

Als nicht bestanden gilt die Prüfung, wenn in zwei Einzelfächern das Urteil „ungenügend“ erteilt worden und nicht durch anderweitige gute Urteile ein Ausgleich eingetreten ist. Wie weit ein solcher Ausgleich anzunehmen ist, entscheidet die Prüfungskommission durch Stimmenmehrheit; bei Stimmengleichheit gibt die Stimme des Vorsitzenden den Ausschlag.

Das Urteil „ungenügend“ in den Handelswissenschaften oder in der Volkswirtschaftlehre kann durch gute Urteile in anderen Fächern nicht ausgeglichen werden.

Erscheint der Kandidat in dem Prüfungstermin nicht, oder tritt er während der schriftlichen oder mündlichen Prüfung zurück, ohne daß ihm ein Entschuldigungsgrund zur Seite steht, der von der Prüfungskommission als ausreichend erachtet wird, so gilt die Prüfung als nicht bestanden.

§ 10.

Zeugnis.

Über die bestandene Prüfung wird ein Zeugnis ausgefertigt.

Das Zeugnis muß die Prüfungsfächer und die darin erzielten Einzelurteile, sowie das Gesamturteil enthalten.

Das Zeugnis ist von dem Vorsitzenden und sämtlichen beteiligten Mitgliedern der Prüfungskommission zu unterzeichnen.

§ 11.

Wiederholung der Prüfung.

Ist die Prüfung nicht bestanden, so kann sie frühestens nach einem Semester wiederholt werden.

Die Prüfungskommission ist berechtigt, von den Fächern, in denen die Prüfung mit „gut“ bestanden ist, bei der Wiederholung der Prüfung zu entbinden.

Die Wiederholung der Prüfung ist nur einmal gestattet.

§ 12.

Hilfsmittel.

Dem Kandidaten ist vor der Prüfung mitzuteilen, welcher Hilfsmittel er sich bei den Prüfungsarbeiten bedienen darf, und daß die Benutzung unerlaubter Hilfsmittel die Ausschließung unter Verfall der Gebühren zur Folge hat.

§ 13.

Gebühren.

Die Prüfungsgebühren betragen für Inländer 60 Mark, für Ausländer 120 Mark.

Für jedes fakultative Fach hat der Inländer weitere 10 Mark, der Ausländer weitere 20 Mark zu zahlen.

Bei Wiederholung der Prüfung sind die vollen Gebühren von neuem zu zahlen.

Die Gebühren sind zugleich mit der Meldung zur Prüfung an der Kasse der Handelshochschule zu entrichten.

Gilt die Prüfung als nicht bestanden, so findet eine Rückzahlung der Gebühren nicht statt.

VIII.

Personalverzeichnis.

A. Großer Rat der Handelshochschule.

(Ordnung § 3.)

1. Kaempf, Präsident der Aeltesten der Kaufmannschaft von Berlin, als Vorsitzender, (Stellvertreter siehe Nr. 13 und 14).

2. v. Seefeld, Geh. Oberregierungsrat, Vortragender Rat im Ministerium für Handel und Gewerbe 3. Dr. Naumann, Wirklicher Geheimer Oberregierungsrat, Vortragender Rat im Ministerium der geistlichen, Unterrichts- und Medizinalangelegenheiten	Vertreter der Königlichen Staatsregierung.

4. Dr. Paulsen, Professor, Vertreter der Universität Berlin.
5. Dr. Lampe, Professor, Geheimer Regierungsrat, Vertreter der Technischen Hochschule Charlottenburg.
6. Dr. Reicke, Bürgermeister, Vertreter des Magistrats Berlin.
7. Dr. Langerhans, Stadtverordneten-Vorsteher, Vertreter der Stadtverordneten-Versammlung Berlin.
8. James Simon, Vertreter der Handelskammer Berlin.
9. Dr. Jastrow, Professor, Rektor der Handelshochschule (siehe C. 2).

10. Dr. Dunker, Professor, Geheimer Regierungsrat 11. Dr. Schär, Professor 12. Dr. Sombart, Professor	hauptamtliche Dozenten an der Handelshochschule (siehe C. 2).

13. Dr. Weigert, Stadtrat, Vizepräsident 14. Geheimer Kommerzienrat Helfft, Vizepräsident 15. Stadtrat Jacoby 16. Max Richter 17. Heinrich Maas 18. Wilhelm Kantorowicz	Aelteste der Kaufmannschaft von Berlin*)

*) Stellvertreter: Hermann Richter, Dr Antrick, Siegmund Pincus, Kommerzienrat Frenkel, Louis Mann, Kommerzienrat Landsberg

19. Albert Kochhann } Mitglieder der Finanzkommission der
20. Paul Boehme } Korporation der Kaufmannschaft von Berlin.
21. Dr. Apt, Professor, Syndikus der Handelshochschule (siehe D.).

B. Aufnahmeausschuß.

(Ordnung § 5.)

Dr. Jastrow, Professor, Rektor der Handelshochschule (siehe C. 2).
Dr. Apt, Professor, Syndikus der Handelshochschule (siehe D.).
Dr. Dunker, Professor, Geheimer Regierungsrat (siehe C. 2).
Dr. Schär, Professor (siehe C. 2).
Dr. Sombart, Professor (siehe C. 2).
Dr. Weigert, } Aelteste der Kaufmannschaft von Berlin.*)
Max Richter, }

C. Dozenten.

(Die Sprechstunden sind in Klammern angegeben.)

1. Zeitiger Rektor (Rektoratsperiode 1906/9).

Dr. Jastrow, Professor (siehe unter 2).

Abteilung des Vorlesungsverzeichnisses.

2. Dozenten im Hauptamte.

Dr. Binz, Dozent der Chemie, W. 30, Habsburger Str. 10 II, Amt VI, 14889. *(Mo bis Fr von 12-12½ im Hochschulgebäude)* . . . . **6.**

Dr. Dunker, Geheimer Regierungsrat, Professor für kaufmännisches Unterrichtswesen und für Geographie, Groß-Lichterfelde-Ost, Parallelstr. 1. *(Mo, Mi 10-11 im Hochschulgebäude)* . . . . **5. 8.**

Dr. Eltzbacher, Professor der Rechtswissenschaft, Charlottenburg, Dernburgstr. 1, Haupteingang, IV r. (Ecke Suarezstraße). *(Mo, Do 9-10 morgens in der Privatwohnung und nach den Vorlesungen in der Hochschule)* . . . . **4.**

Dr. Jastrow, Professor der Staatswissenschaften, Charlottenburg, Berliner Str. 54. *(Di, Mi, Fr 10-11 in der Handelshochschule Zimmer 9. Mo, Do 4-5 in der Privatwohnung)* . . . . **1. 3.**

---

*) Stellvertreter: Heinrich Maas, Wilhelm Kantorowicz.

Abteilung des Vorlesungsverzeichnisses.

Leitner, Oberlehrer a D , Dozent der Handelswissenschaften, Charlottenburg, Kantstr. 149 I. *(Im Hochschulgebäude vor und nach den Vorlesungen)* . . . . **2.**

Dr. Martens, Professor, Dozent der Physik, NW. 23 (Bahnhof Bellevue), Claudiusstr. 4, Gartenhaus III. Etage. *(Tägl. im Physikalischen Institut, ausser Sonnabends, um 1 Uhr nach Schluss der Vorlesung.)* Fernspr. des Physikalischen Instituts I, 5115 . . . . **6.**

Dr. Schär, Professor der Handelswissenschaften, Groß-Lichterfelde-Ost, Schillerstr. 26, Amt Groß-Lichterfelde 3658. *(Di, Fr 12-1 im Hochschulgebäude, Zimmer 1)* . . . . **2.**

Dr. Sombart, Professor der Staatswissenschaften. *(Zunächst Do abends 7-8* — weitere Angaben am schwarzen Brett vorbehalten.) . . . . **3.**

3. Dozenten im Nebenamte.

Dr. Albrecht, Professor, stellvertr. Geschäftsführer der Zentralstelle für Arbeiterwohlfahrtseinrichtungen, Berlin. Groß-Lichterfelde, Schillerstr. 11, Amt VI, 2637. *(Mo, Mi 10-11 im Bureau SW., Dessauer Str. 14, Quergeb.)* **3.**

Dr. Apt, Professor, Berlin W., Magdeburger Str. 33 (siehe unter D).

L. Bendix, Prokurist, Berlin NW. 52, Spenerstr. 29 I. *(Mo, Do 4-5 im Bureau Jägerstr. 61a bei Landsberger.)* **3.**

Dr. v. Bortkiewicz, a. o. Professor an der Universität Berlin, W. 50, Nachodstr. 6a I. *(Mi 3-5 in der Wohnung)* . **3.**

H. Buhmann, Verlagsbuchhändler, Berlin, W. 50, Nachodstraße 1 I, Amt I, 9001. *(Mi abends 7½-8 im Hochschulgebäude, in der Privatwohnung Di, Fr 2½-3½)* **2.**

Dr. Calmes (siehe unter E.), W. 57, Steinmetzstr. 15 III. *(Im Handelshochschulgebäude nach den Seminarien)* **2.**

Dr. Crüger, Anwalt des Allgemeinen Deutschen Genossenschaftsverbandes, Westend, Nußbaumallee 17, Amt Charlottenburg 597. *(Im Bureau des Allgemeinen Deutschen Genossenschafts-Verbandes, Charlottenburg, Grolmanstr. 58, 10-11)* . . . . **3.**

Abteilung des Vorlesungsverzeichnisses.

Dr. Eger, Geh. Regierungsrat, Berlin, W. 10, Rauchstr. 5 II, Amt VI, 4974. *(Tägl. 5-6 in der Privatwohnung; Do 8 abends im Hochschulgebäude)* . . . . . . **4.**

Dr. Frischeisen-Köhler, Berlin, S. 14, Sebastianstr. 87. *(Nach der Vorlesung)*. . . . . **9.**

Dr. Paul Goldschmidt, Professor, Oberlehrer a. D., Berlin, W. 50, Geisbergstr. 22 III. *(3-4 in der Wohnung)* **1.**

Dr. Hager, Regierungsrat, Mitglied des Kaiserlichen Aufsichtsamts für Privatversicherung, Berlin, W. 9, Cöthener Str. 23 III. *(Im Hochschulgebäude Mo 6-7)* **3.**

Dr. Heilfron, Amtsgerichtsrat, Professor, Berlin, W. 35, Schöneberger Ufer 43 I, Amt VI, 7456. *(Nach den Vorlesungen in der Handelshochschule)* . . . . . **4.**

Dr. Herrmann, Prof., Privatdozent an der Universität Berlin, W. 50, Augsburger Str. 47 III. *(Mo, Do 4-5 in der Privatwohnung)* . . . . **9.**

Dr. Hoeniger, Professor, Privatdozent an der Universität, Lehrer an der Kriegsakademie, Berlin, W. 50, Kurfürstendamm 231 hochpart. *(Di, Fr 5-6 in der Privatw.)* **5.**

Dr. Justi, Professor, Erster Ständiger Sekretär der Akademie der Künste, Charlottenburg, Fasanenstr. 5 hochparterre. *(Di 5-6 in der Wohnung)* . . . . **9.**

Dr. Kriele, Volkswirtschaftlicher Beirat der Aeltesten der Kaufmannschaft von Berlin, Grunewald, Hohenzollerndamm 20, Amt Wilmersdorf 1104. *(Werktäglich von 10-11 Neue Friedrichstr. 51 I im Bureau der Korporation der Kaufmannschaft.)*

Dr. Freiherr v. Liebig, Regierungsrat, Mitglied des Kaiserlichen Aufsichtsamts für Privatversicherung, Berlin, Charlottenburg, Bismarckstr. 8 I. *(Mo 5½-6½ in der Privatwohnung)* . . . . **3.**

Dr. v. Liszt, Geheimer Justizrat, ordentlicher Professor an der Universität Berlin.

Dr. Manes, Professor, Generalsekretär des Deutschen Vereins für Versicherungswissenschaft, Berlin, W. 50, Prager Straße 26 I, Amt Wilmersdorf 2709. *(10½-11 in der Wohnung)* . . . . **3.**

Abteilung des Vorlesungs-verzeichnisses.

Dr. Marcuse, Privatdozent an der Universität Berlin, Gr.-Lichterfelde-O, Villa Wilhelmstr 5 (Amt Gr.-Lichterfelde 286). *(In der Privatw. tägl. von 3-4)* . . . 5.

Dr. F. Meyer, Kammergerichtsrat, Berlin, W. 15, Meierottostr. 5 I. *(5-6 in der Privatwohnung)* . . . . 4.

Dr. Muthesius, Geh. Regierungsrat, Nikolassee (Wannseebahn), Cimbernstr. 3 (Amt Wannsee 106). *(Nach der Vorlesung im Hörsaal)* . . . . 9.

Dr. Obst, Halensee, Westfälische Str. 61 I. *(Mi 1½-2½ in der Privatwohnung und in der Handelshochschule vor und nach den Vorlesungen)* . . . . 2.

Dr. Osterrieth, Professor, Generalsekretär des Deutschen Vereins für den Schutz des gewerblichen Eigentums, Berlin, Bureau: W. 66, Wilhelmstr 57-58 II, Amt I 5404. *(Von 12-2 im Bureau)* . . . . 4.

Dr. Palme, Lehrer am Orientalischen Seminar der Universität Berlin, W. 57, Bülowstr. 67 III. *(Im Hochschulgebäude unmittelbar nach den Vorlesungen und Übungen)* . . . . 9.

Dr. Preuss, Privatdozent an der Universität Berlin, W. 10, Matthäikirchstr. 29. *(4-4½ in der Wohnung)* . . 4.

Dr. Rahts, Professor, Direktor des Städtischen Statistischen Amts Charlottenburg (Amt Charl. 6005). *(Tägl. von 4-5 in der Privatwohnung)* . . . . 3.

Dr. Saenger, Oberlehrer, Berlin, W. 15, Uhlandstr. 48 III. *(So 3-4 in der Privatw., Mi 7 im Hochschulgeb.)* . 9.

Dr. Schlüter, Privatdozent an der Universität Berlin, Charlottenburg, Goethepark (Privatstr.) 22 III. *(Nach der Vorlesung im Hochschulgeb.)* . . . . 5.

Dr. Spies, Privatdozent, Berlin W. 57, Kurfürstenstr 4. *(Im Hochschulgeb. nach Schluss des Seminars, in der Privatwohnung Mi 1-1½ oder zu anderer Zeit nach Verabredung.)*

4. Lehrer am Handelshochschul-Seminar für fremde Sprachen.

Englisch.

1. Brandenburg, Professor, Berlin W. 50, Geisbergstr. 43.
2. Hart, Berlin W. 8, Leipziger Str. 24.

3. Dr. Spies (siehe unter 3).
4. Dr. Saenger (siehe unter 3).

Französisch.

5. Francillon, Berlin SW. 68, Schützenstr. 18. *(In der Handelshochschule unmittelbar nach dem Unterricht.)*
6. Puy-Fourcat, Berlin W. 35, Potsdamer Str. 113a.
7. Dr. Schmidt, Oberlehrer, SW. 47, Yorkstr. 68.

Russisch.

8. Dr. Palme (siehe unter 3).
9. Dr. Boehme, Berlin SW. 11, Tempelhofer Ufer 36.

Spanisch.

10. de Mugica, Licenciado en Ciencias, Berlin NW. 52, Wilsnacker Str. 3.
11. de Palacios, Konsul a. D., Steglitz, Albrechtstr. 80.

Italienisch.

12. Dr. Pietro Stoppani, Berlin W. 10, Dörnbergstr. 5.

5. Lehrer für Stenographie.

Coprian, Heinrich, Lehrer, Berlin NO. 18, Kniprodestr. 116 (System Stolze-Schrey).

Goldmann, Paul, Friedenau, Handjerystr. 72 (System Gabelsberger).

D. Syndikus der Handelshochschule.

Dr. Apt, Professor, Syndikus der Aeltesten der Kaufmannschaft von Berlin. *(Mi 12-1 in seinem Amtszimmer Neue Friedrichstr. 51 I.)*

E. Assistenten.

Dr. Calmes, Assistent des handelswissenschaftlichen Seminars, Berlin W. 57, Steinmetzstr. 15 III. *(Mi 3-4 im Handelswiss. Seminar.)*

Dr. Marx, Assistent des chemischen Instituts, Berlin N. 37, Saarbrücker Str. 17. *(Mo bis Fr 3-4 im chemischen Institut.)*

Handtke, cand. phil., Assistent des physikal. Instituts, Berlin N, Lottumstr. 12.

Sekretariat und Kasse.

(Bureaustunden 9—3 Uhr.)

Steinert, Bureau-Assistent, Gaudystr. 18.
Lemme, Bureau-Diätar, Steglitzer Str. 53
Fischer, Kanzlistin, Stallschreiberstr. 32.
Menzel, Bote, Petersburger Str. 26.

Horch, Mechaniker des physikal. Instituts, Lichtenberg. Frankfurter Chaussee 154.

Hausbeamte.

Prüssel, Pedell Hobohm, Laboratoriumsdiener Mai, Heizer	Dienstwohnung im linken Flügel.

IX.

Verzeichnis der Vorlesungen,

die im

Winter-Semester 1906/7

an der

Handelshochschule der Korporation der Kaufmannschaft von Berlin

gehalten werden.

(Die Hörsäle sind unter den Namen der Dozenten in Klammern vermerkt.)

---

1. Allgemeine Einführung in die Studien.

Dozent:

Einführung in das akademische Studium, insbesondere an der Handelshochschule — *Di, Fr 9-10 Vorm.* Jastrow *(25, Kapelle)*

1. Allgemeiner Überblick. — Die wichtigsten Ratschläge für erfolgreiche Benutzung des ersten Semesters. — 2. Einführung in das Studium der volkswirtschaftlich-juristischen Fächer, einschließlich der Handelswissenschaften. — Historisch-geographische Fächer. — Einiges über die Naturwissenschaften und ihre Stellung im Studienplan. — Sprachstudien und Sprechübungen (fremde Sprachen; Beherrschung der Muttersprache, namentlich im rednerischen Gebrauch). — Allgemeine Bildung und Fertigkeiten. — 3. Verteilung des Unterrichtsstoffes auf vier Semester. Studienpläne. Verwendung der Ferien. — 4. Spätere Fortbildung nach Verlassen der Handelshochschule. Kenntnis der Hilfsmittel für selbständige Fortbildung.

Besprechungen in Anschluß daran (hauptsächlich für Anfänger) — *Do 9-10 Vorm.* . . . . Jastrow *(25, Kapelle)*

Geschichte und Ortskunde von Berlin — *Mi 8-9 Abends* Goldschmidt *(25, Kapelle)*

Allgemeine Orientierung. — Historisch-geographische Übersicht. — Bildungsinstitute und Lerngelegenheiten. — Einrichtungen für Handel und Industrie. — Staatliche, kommunale und sozialpolitische Einrichtungen etc. — Berlin im Vergleich mit anderen Weltstädten.

2. Handelswissenschaften.

Betriebslehre des Handels und einzelner Handelszweige.

Dozent:

Allgemeine Handelsbetriebslehre — *Di, Do, Fr 10-11* Schaer *(101)*

Systematik der Handelswissenschaften im allgemeinen und der Betriebslehre im besonderen. — Allgemeine Betriebslehre: Grundbegriffe; Gliederung des Handels nach volks- und privatwirtschaftlichen Rücksichten; der Handel im Organismus der Volkswirtschaft; Entwicklungstendenzen des Handels in der Gegenwart; neue Entwicklungsfaktoren; der Kampf um den internen Absatz; der internationale Wettkampf; der Handel im Kampfe zwischen kapitalistischen und sozialistischen Tendenzen; Koalitionsbetriebe; Genossenschaftsbetriebe; der soziale Handel; Kampfstellung zwischen Produzent und Konsument. — Konkurrenz; Konjunktur. — Allgemeine Grundsätze des privatwirtschaftlichen Handelsbetriebs.

Wechselkunde — *Mo 9-10 Vorm.* . . . . Leitner *(26)*

Der Wechsel in seiner historischen und wirtschaftlichen Entwickelung. — Der moderne Wechselverkehr; seine rechtlichen Grundlagen und seine Technik.

Wechselpraktikum (für Anfänger) — *Di 8-9 Abends* Obst *(205)*

Erläuterung der Allgemeinen Deutschen Wechselordnung an praktischen Beispielen. — Besprechung von Rechtsfällen.

Die Technik des Bankbetriebes (nebst Examinatorium) — *Di 6-8, Do 6-7* . . . . Obst *(205)*

Historische Entwickelung des Bankwesens. — Passivgeschäfte der Banken: der Depositen- und Scheckverkehr, das Notengeschäft, die Ausgabe langfristiger Obligationen. — Aktivgeschäfte der Banken: Der Kontokorrentverkehr, das Diskontgeschäft, das Lombardgeschäft, langfristige Kreditgewährung (Hypothekenkredit). — Indifferente Geschäfte der Banken: Der Inkassoverkehr, das Effekten-, Sorten- und Coupongeschäft, die Verwaltung und Aufbewahrung von Wertpapieren.

Grundzüge des Geld-, Bank- und Börsenwesens — *Do 9-10 Abends* . . . . Obst *(25, Kapelle)*

Funktionen des Geldes. — Münzsystem. — Währungsfrage. — Geldsurrogate. — Überblick über die hauptsächlichsten Geschäfte der Banken. — Die Organisation der Börse. — Kassa- und Zeitgeschäfte, Feststellung der Kurse. — Arten der an der Börse gehandelten Wertpapiere. — Kapitalsanlagen.

Geschichte und Organisation des deutschen Buchhandels — *Mi 8-9 Abends* . . . . Buhmann *(205)*

Wissenschaft und Buchhandel. — Gliederung der buchgewerblichen Geschäftszweige nach ihrer Geschichte und volkswirtschaftlichen Bedeutung. — Buchdruckerkunst. — Geschichte des Buchhandels bis zur Zentralisation in

Dozent:

Frankfurt a. M. — Meßkatalog etc. — Verlegung der Buchhandelszentrale nach Leipzig. — Modernes Sortiment. — Bücherproduktion nach Ländern, Städten und Kulturgebieten. — Die gegenwärtigen Entwickelungstendenzen im nationalen und internationalen Buchhandel. — Der Berliner Buchhandel.

Übungen über die Technik des Verlagsbuchhandels — *Mi 9-10 Abends* . . . . Buhmann *(205)*

Der Büchermarkt. — Das Barsortiment. — Idee der Buchhandelsbanken. — Preis des Buches. - Lektüre: Bücher, „Der deutsche Buchhandel und die Wissenschaft" sowie die Gegenschriften des deutschen Buchhandels. Aussprache darüber.

Exkursionen: Berliner Buchhändlerhaus. — Reichsdruckerei. — Königliche Bibliothek. — Zweitägiger Aufenthalt in Leipzig zur Zeit der Ostermesse.

Ferner ist (hauptsächlich in der zweiten Hälfte des Semesters) ein Zyklus von Einzelvorträgen über Geschichte und Technik einzelner Gewerbe in Aussicht genommen. (Elektrizitätsindustrie, Metalle u. Maschinen, Textilindustrie u. a.), sowie ferner über „Einrichtungen an der Berliner Fondsbörse", „Einrichtungen an der Berliner Getreidebörse", im Anschluß daran „Geschichte des Berliner Bankwesens", „Geschichte des Berliner Getreidehandels", ferner „Das Verkehrsbureau der Korporation der Kaufmannschaft von Berlin", Orientierungsmittel über Zolltarife des In- und Auslandes".

Buchhaltung.

Theorie und Praxis der systematischen Buchhaltung — *Mi, Fr 11-12* . . . . Schaer *(101)*

Theoretischer Teil: Wesen, Bedeutung und Aufgabe des Verrechnungswesens im allgemeinen, der Buchhaltung im besondern. Zweck, Mittel und Methode der Buchhaltung. Der Kreislauf des Geschäftskapitals, untersucht nach mathematischen, wirtschaftlichen und juridischen Gesichtspunkten. Theorie der Konten. Eingangsbilanz, Geschäftsgang und Schlußbilanz auf mathematischer Grundlage.

Praktischer Teil: Aufsuchen der gemeinsamen Merkmale sämtlicher Buchhaltungsformen. Ableitung der in der Praxis vorkommenden Buchhaltungsformen und kritische Vergleichung derselben.

Bankbuchhaltung — *Mi, Do, Fr 10-11* . . . . . Leitner *(26)*

Innere Organisation der Banken. — Aufgaben und Formen der Buchführung. — Die wichtigsten Bücher und Konten. — Verrechnung der Wechsel-, Depositen-, Effektengeschäfte. — Konto mio und Konto meta. — Konsortialgeschäfte. — Verbuchung bei Hypothekenbanken. — Bankbilanzen.

Dozent:

Einführung in die Bilanzkunde — *Mo, Di, Mi 6-7* Leitner

Die Beziehungen zwischen Buchführung und Bilanz. — Eröffnungs- und Schlußbilanz. — Bilanz der Handelsgesellschaften, insbesondere der Aktienunternehmen. — Erörterung der einzelnen Bilanzposten. — Das Aktienkapital. — Die echten und unechten Reserven. — Gewinn- und Verlustrechnung. — Gewinnverteilung. — Die Bewertung der Bilanzposten. — Verschleierung. — Kritik einzelner Bank- und Industriebilanzen. *(25, Kapelle)*

Buchhaltung für Nichtkaufleute (Juristen, Beamte, Privatleute etc.) — *Do 8-9 Abends* . . . . Schaer

Populäre Einführung in die systematische Buchhaltung, insbesondere in die Technik der Schlußbilanz und ihre Kontrolle. Behandlung verschiedener Streitfragen aus dem Grenzgebiete zwischen Buchhaltung und Handelsrecht. *(25, Kapelle)*

Kaufmännische Arithmetik.

(Versicherungsrechnung siehe Abteilung 3.)

Die besonderen Methoden und Hilfsmittel der kaufmännischen Arithmetik und ihre Anwendung auf die verschiedenen Gebiete der Handelstechnik — *Mo 10-11* . . . . Leitner

Repetitorische Behandlung der Grundoperationen und verschiedenen Rechnungsmethoden. Ihre Anwendung auf kaufmännische Verhältnisse unter Berücksichtigung kaufmännischer Rechenvorteile. Prozent-, Zinsen-, Zinseszinsen-, Diskont- und Terminrechnung. *(26)*

Kontokorrent-Rechnung. — *Mi, Fr 11-12* . . . . Leitner

Grundlagen des Konto-Korrentverhältnisses. Die üblichen Methoden der Berechnung mit einfachem, doppeltem und wechselndem Zinsfuß; kritische Untersuchung ihrer materiellen Richtigkeit. *(26)*

Ausgewählte Partieen aus der Kalkulationslehre — *Di, Do 11-12* . . . . Schaer

Elemente und Methoden der Kalkulation. Kritische Untersuchungen von Kalkulationen aus den kaufmännischen und industriellen Betrieben. Normen für richtige Kalkulationen. Einzelkalkulationen und systematische Kalkulationen auf Grund längerer Betriebsergebnisse im Zusammenhang mit der Buchhaltung. *(101)*

Seminar.

Übungen, Vorträge und Disputationen aus dem Gebiete der allgemeinen und der praktischen Betriebslehre, Besprechung einschlägiger Zeit- und Streitfragen, sowie der neuen Literatur etc. — *Mi 9-11 (Handelswissenschaftl. Sem. B 4)* Schaer u. Calmes

Dozent:

Übungen aus dem Gebiete der kaufmännischen Arithmetik. — *Mo 11-12* . . . . Leitner (26)

Einführung in die Buchhaltung, Vorkurs mit Übungen für Anfänger — *Mi 4-6. (Handelsw. Seminar)*

Deutsche Handelskorrespondenz mit kursorischer Einführung in die Betriebslehre nebst Übungen. Für Anfänger. — *Fr 6-7 (Handelswissenschaftliches Seminar B 4)* . . . .

Besuch von kaufmännischen und industriellen Etablissements in Berlin und Umgebung, für die Teilnehmer des handelsw. Seminars . . Schär u. Calmes

Die Stunden werden mit den Teilnehmern besonders vereinbart. — Die Besuchszeiten werden durch Anschlag bekannt gemacht.

Bankseminar — *Do 7-9 (Handelsw. Seminar)* . . Obst

Übungen über Gegenstände des Geld-, Kredit-, Bank- oder Börsenwesens, Anfertigung schriftlicher Arbeiten und Gelegenheit zur Übung in freier Rede.

3. Volkswirtschaftslehre und verwandte Fächer.

(Wirtschaftsgeschichte vergleiche auch Abteilung 5 und 9.)

Allgemeine Nationalökonomie — *Mi, Fr 12-2* . . . Sombart (25)

I. Elemente und Gestaltung des Wirtschaftslebens überhaupt. Elemente: Wirtschaft; Produktion; Verteilung; Konsumtion; Ordnung des Wirtschaftslebens. — Gestaltung: Mannigfaltigkeit des Wirtschaftslebens; objektive Bedingungen für seine Gestaltung (Natur, Volk, Technik); treibende Kräfte der wirtschaftlichen Entwickelung. — II. Das System der heutigen Verkehrswirtschaft. Der Markt und seine Erscheinungen (Geldwesen — Kreditwesen — Preisbildung). — Die Unternehmung. — Der Rythmus der modernen Verkehrswirtschaft (Lehre von der Konjunktur, von Hausse- und Baisseperioden, von Krisen etc.). — Der Verteilungsprozeß (Lehre vom Arbeitslohn, von Kapitalzins, Unternehmergewinn, Grundrente etc.).

Gewerbe- und Handelspolitik — *Mi, Sb 9-10 Vorm.* Jastrow (25, Kapelle)

Entwickelung der Gewerbeverfassung von der Zunftzeit bis zur Gegenwart. — Innere Gewerbepolitik: Gewerbefreiheit und Gewerbebeschränkungen; Gewerbeförderung; gewerbliche Arbeiterfrage und Arbeiterschutz. — Innere Handelspolitik: Handelsfreiheit und Handelsbeschränkungen; Handelsförderung (Märkte, Messen, Börsen, Handelsgerichte, Handelsschulen, Handelsvertretungen etc.) — Äußere Gewerbe- und Handelspolitik: Schutzzoll und Freihandel; Handelsverträge; Kolonialpolitik. — Bedeutung der Gewerbe- und Handelspolitik für die allgemeine Wirtschaftspolitik.

Statistik — *Do 6-7* . . . . Rahts (204)

Geschichte der Statistik. — Methode und Technik der heutigen Statistik (Zählungen; Materialverwendung; Darstellung und

Dozent:

Veranschaulichung der Ergebnisse). — Ausführlicheres über Berufs- und Handelsstatistik und deren hauptsächlichste Ergebnisse.

Die soziale Frage in Vergangenheit und Gegenwart — *Mo 9-10 Abends* . . . . Jastrow (*202*)

Soziale Bewegungen und Ideenentwicklung vom Altertum bis zum Zeitalter der Bauernkriege. — Die soziale Frage in der französischen Revolution — im 19. Jahrhundert — Gegenwärtiger Stand und Ausblick.

Ausgewählte Abschnitte aus der Geschichte der menschlichen Wirtschaft — *Do 8-9 Abends* . Sombart (*202*)

Die Anfänge der menschlichen Wirtschaft. — Wirtschaft der urwüchsigen Geschlechtsverbände. — Die Dorfgemeinschaften. — Die erweiterten Eigenwirtschaften, insbesondere die Grundherrschaften des ausgehenden Altertums und frühen Mittelalters. — Die handwerksmäßige Wirtschaft, insbesondere in den Städten des Mittelalters. — Die Anfänge der modernen Volkswirtschaft.

Die hauptsächlichsten Formen und Anwendungsgebiete des Genossenschaftswesens — *Fr 7-8* . . . Crüger (*26*)

Rechtsformen. — Rechtliche Grundlage nach dem Genossenschafts-Gesetz. — Volkswirtschaftliche Bedeutung. — Das Genossenschaftswesen in seinen Beziehungen zu Handwerk, Landwirtschaft, Handel, den arbeitenden Klassen und dem Beamtentum.

Muster-Wohlfahrtseinrichtungen in gewerblichen Betrieben — *Sb 10-11* . . . . Albrecht (*204*)

Allgemeines über Wohlfahrtseinrichtungen. — Wohlfahrtseinrichtungen innerhalb des Betriebes. — Einrichtungen zur Hebung der allgemeinen wirtschaftlichen Lage der Arbeiter. — Wohnung und Unterkunft. — Einrichtungen zur Vermittelung höherer Kulturbedürfnisse. — Fürsorge für einzelne Altersklassen (Kinder und Jugendliche) und besondere Notlagen (Krankheit, Alter, Arbeitslosigkeit u. s. w.).

Der Geldmarkt und seine Organisation in Deutschland, England, Frankreich und Nordamerika — *Mo 8-9 Abends* . . . . Bendix (*26*)

Begriff und Wesen des Geldmarktes. — Bedeutung für die Volks- und Weltwirtschaft — Historische Entwicklung der wichtigsten Geldmärkte. — Die großen europäischen Zentral-Notenbanken und ihre Stellung zu den heimischen Geldmärkten. — Das amerikanische Notenwesen und sein Einfluß auf den internationalen Geldmarkt. — Schwankungen der Zinssätze, ihre Ursachen und Wirkungen. — Solidarität der Geldmärkte.

Volkswirtschaftliche Übungen über die Grundprobleme der Nationalökonomie (für Anfänger) — *Do 5-7* Sombart (*105*)

Dozent:

Kolloquium über wirtschaftliche Tagesfragen (für Vorgerücktere) — vierzehntägig *Fr 7-9* . . Jastrow

Versicherungslehre.

Allgemeine Versicherungslehre — *Mi 7-9* . . . . Manes

Die wirtschaftlichen, rechtlichen und technischen Grundlagen des gesamten Versicherungswesens: Begriff und Wesen, Voraussetzungen und Grenzen, Entwicklung, Bedeutung und Statistik der Versicherung; ihre Organisationsformen und Betriebsmethoden; die Probleme der Versicherungspolitik, Staatsaufsicht, Besteuerung und Regelung des Vertragsrechts; Versicherungs-Literatur. *(204)*

Die hauptsächlichsten Zweige der Privatversicherung — *Do 5-7* . . . . v. Liebig

Lebens-, Feuer-, Unfall- und Haftpflichtversicherung u. s. w — Geschichtliche Entwicklung und gegenwärtiger Stand jedes einzelnen Versicherungszweiges. — Zweck und Gegenstand. — Die einzelnen Versicherungsarten. — Verfassung und Grundsätze. — Technik. *(26)*

Praktische Übungen im Versicherungswesen — *Mi 5-6* . . . . v. Liebig

Aufnahme von Versicherungsanträgen. — Beurteilung der einzelnen Risiken. — Schadenregulierung. *(26)*

Versicherungsrechnung (mit Übungen) — *Sb 10-12* v. Bortkiewicz

Der Zins und die Sterblichkeit als die beiden Rechnungsgrundlagen der Lebensversicherung. — Die Prämien und Prämienreserven bei der Leibrentenversicherung, der Kapitalversicherung auf Todesfall u. s. w. — Die Bilanz und das Gewinn- und Verlustkonto einer Versicherungsanstalt. *(26)*

Recht des Versicherungsvertrages — *Mo 7-8* . . . Hager

Allgemeines. — Bevorstehende gesetzgeberische Änderungen (Gesetzentwurf betr. den Versicherungsvertrag etc.). — Einzelheiten des Versicherungsvertrages (Anzeigepflicht, Gefahrerhöhung, Prämien, Versicherungsagenten). — Einzelne Zweige der Schadens- und Personenversicherung. *(26)*

Arbeiterversicherung — *Do 7-8* . . . . Manes

Die soziale Versicherung des Deutschen Reichs: Kranken-, Unfall-, Invaliden- und Altersversicherung; ihre Entwickelung, Bedeutung, Organisation und Rechtsverhältnisse; die Bestrebungen zu ihrer Ausdehnung und Reform. — Sozialversicherung des Auslandes. *(26)*

4. Rechtswissenschaft.

(Versicherungsrecht siehe Abteilung 3.)

Bürgerliches Recht — *Mo, Di, Do 12-1* . . . Eltzbacher

1. Grundzüge. Das deutsche bürgerliche Recht, seine Quellen und seine Auslegung. — Die Rechte, ihre Entstehung *(203)*

Dozent:

und Endigung. — Selbsthülfe und Klage als Mittel des Rechtsschutzes. — Forderungsrechte aus Verträgen und unerlaubten Handlungen. — Eigentum. — Hypothek. — Patent- und Musterschutz. — Eherecht. — Elterliche Gewalt. — Vormundschaftsrecht. — Erbrecht.

2. Wichtige Rechtsverhältnisse des Geschäftslebens. Kauf. — Miete. — Dienstvertrag. — Werkvertrag. — Kommissionsgeschäft — Speditionsgeschäft. — Lagergeschäft. — Frachtgeschäft. — Darlehen. — Gesellschaft.

Handelsrecht — *Mo, Di, Mi, Do 11-12* . . . . . Eltzbacher *(205)*

1. Rechte und Pflichten der Kaufleute. Registerpflichten. — Pflicht zu Buchführung, Inventur und Bilanz. — Schutz der Firma. — Schutz gegen unlauteren Wettbewerb.

2. Der Kaufmann und seine Angestellten Rechtsstellung des Prokuristen, des Reisenden, des Verkäufers und der sonstigen Angestellten — Rechtsstellung der Agenten und Makler.

3. Die Handelsgesellschaften. Offene Handelsgesellschaft. — Kommanditgesellschaft. — Aktiengesellschaft. — Gesellschaft mit beschränkter Haftung.

Die Handelsgeschäfte werden in der Vorlesung über bürgerliches Recht mitbehandelt und bilden den besonderen Gegenstand der folgenden Vorlesung.

Das Recht der Handelsgeschäfte — *Di, Fr 5-6* . . Heilfron *(26)*

Abschluß, Wirkungen, Erfüllung der Handelsgeschäfte — Der Handelskauf. — Börsentermingeschäft und Differenzgeschäft. — Grundbegriffe des Seerechts. — Ergänzende Rechtsgebiete: Depotgesetz; Haftpflichtgesetz; Reichsgesetze über die Abzahlungsgeschäfte, das Post- und Telegraphenwesen u. s. w.

Grundbuch- und Hypothekenrecht — *Mi 7-8* . . . Heilfron *(26)*

Einrichtung des Grundbuchs. — Erwerb, — Veräußerung, — Belastung der Grundstücke.

Zivilprozeßrecht (mit praktischen Übungen) — *Di, Fr 6-7* . . . . Heilfron *(26)*

1. Übersicht über die deutsche Gerichtsverfassung. — 2. Das Verfahren in erster Instanz, insbesondere vor den Amtsgerichten. — Das Kostenwesen. — Die Rechtsmittel. — Urkunden- und Wechselprozeß — Mahnverfahren. — Zwangsvollstreckung. — Schiedsrichterliches Verfahren. — 3. Anleitung zum Entwerfen von Klagen, Zahlungsbefehlen u. s. w.

Konkursrecht — *Mo 8-9 Abends* . . . . Eltzbacher *(203)*

Gründe der Konkurseröffnung. — Konkursmasse und Konkursgläubiger. — Abwicklung der schwebenden Geschäfte. — Die Feststellung der Konkursforderungen und ihre Befriedigung aus der Masse. — Zwangsvergleich. — Strafbarer Bankerott.

Wechselrecht — *Di 7-8* . . . . F. Meyer *(26)*

Geschichte des Wechsels. — Wechseltheorien. — Die Deutsche Wechselordnung. — Ausländische Wechselrechte; ihre Grundzüge und wesentlichen Abweichungen vom deutschen Recht. — Aussicht auf ein Weltwechselrecht. — Wirtschaftliche Bedeutung des Wechsels.

Dozent:

Patent-, Muster- und Markenschutz — *Mo 6-7* . . Osterrieth

Patentrecht: Zweck und Wesen des Patentes; patentfähige Erfindungen; Patentanmeldung und -Erteilung; Wirkung des Patentes; Vernichtung und Zurücknahme; Patentverletzung; internationaler Patentschutz. — Gebrauchsmuster. — Geschmacksmuster. — Warenzeichen. *(26)*

Eisenbahnrecht — *Do 7-8* . . . . Eger

Historische Entwickelung des Eisenbahnrechts. — Allgemeine Grundzüge. — Internes und internationales Eisenbahnfrachtrecht. — Vorbereitung, Ausführung und Beendigung des Eisenbahntransports nach dem Handelsgesetzbuch und der Eisenbahnverkehrsordnung, sowie dem internationalen Übereinkommen über den Eisenbahnfrachtverkehr. *(101)*

Deutsches Staatsrecht — *Do 9-10 Abends* . . . . Preuß

Grundzüge der deutschen Verfassungsentwickelung. — Die Entstehung der einzelstaatlichen Verfassungen. — Die Entstehung der Reichsverfassung. — Reich und Einzelstaaten. — Die Organisation des Reichs. — Die Organisation der Einzelstaaten mit besonderer Berücksichtigung Preußens. *(101)*

Juristische Übungen für Anfänger — *Di, Do 4-5* . . Eltzbacher

Besprechung einfacher Rechtsfälle aus dem Geschäftsleben. *(203)*

5. Wirtschaftsgeographie und Wirtschaftsgeschichte.

(Vergleiche auch Abteilung 3 und 9.)

Allgemeine Wirtschaftsgeographie — *Mo, Mi, Sb 9-10 Vorm.* . . . . Dunker

Die geographischen Grundlagen der wirtschaftlichen Tätigkeit des Menschen. — Die Hauptgebiete der Urproduktion und der gewerblichen Weiterverarbeitung der Waren. — Die Welthandelsvölker; die großen Welthandelsplätze; Art und Richtung des Verkehrs. *(204)*

Mitteleuropa mit besonderer Berücksichtigung der Wirtschafts- und Handelsgeographie — *Mo, Do 4-5* . . . . Schlüter

Ausdehnung und Weltstellung des Gebietes. — Bodenbau, Küsten, Klima, Gewässer, Vegetation. — Bevölkerung, Anbau, mineralische Bodenprodukte, Industrie, Handel und Verkehr, Ansiedelungen. — Genauere Betrachtung einzelner Teil-Landschaften, insbesondere Deutschlands. *(101)*

Die Vereinigten Staaten von Nordamerika — *Di, Fr 8-9 Abends* . . . . Dunker

Bodengestalt und Klima. — Entdeckung und Besiedelung des Ostens. — Geographischer Zusammenhang zwischen Kanada und dem Mississippitale; Eindringen der Franzosen. — Abfall der Kolonien. — Vordringen der Plantagenwirtschaft und des Körnerbaus nach Westen. — Besiedlung der Prärie. — Der pazifische Westen; Metallfunde und Bahnbau. — Negerfrage, Zollpolitik, Imperialismus; heutiger Stand der geistigen und wirtschaftlichen Kultur mit besonderer Rücksicht auf die deutsch-amerikanischen Beziehungen. *(101)*

Dozent:

Einführung in die Himmelskunde, besonders in ihrer Bedeutung für Geographie, Schiffahrt und Handelsverkehr. Mit Lichtbildern. — *Di 9-10 Abends* . . . . Marcuse *(202)*

Astronomische Geographie und Nautik — Geographische und nautische Ortsbestimmung auf Reisen. — Vermessungen und Terrainaufnahmen. — Kartographische Orientierung in bekannten und unerforschten Erdgebieten. — Öffentlicher Zeitdienst und Kalenderwesen.

Allgemeine Handelsgeschichte unter Berücksichtigung der welthistorischen Zusammenhänge — *Mi 7-8* . . . . Hoeniger *(101)*

Der Handel der alten Welt. — Einheitliche Verkehrsgestaltung im römischen Reich und dessen Zusammenbruch. — Einfluß der christlichen Kirche auf die mittelalterliche Organisation des Handels. — Politisches und merkantiles Vordringen des Islam. — Handelsgeschichtliche Stellung der Juden im Mittelalter. — Neue Anfänge des Städtewesens und Bürgertums. — Kreuzzüge. — Umgestaltung der Welthandelsbeziehungen seit dem Zeitalter der Entdeckungen. — Nationale Staatsbildung und Anfänge großkapitalistischer Entwickelung. — Überseekolonisation und Handelskriege. — Schutzzoll und Freihandel. — Technische Fortschritte und Verkehrsumwälzungen der neuesten Zeit. — Moderne Handelsorganisation. — Moderne Welthandelsmächte und Weltpolitik.

Wirtschaftliche und soziale Entwickelung Deutschlands im Zeitalter des Merkantilismus und Absolutismus — *Fr 7-8* . . . . Hoeniger *(101)*

Deutschlands wirtschaftliche und soziale Lage am Beginn des 17. Jahrhunderts. — Der dreißigjährige Krieg und seine sozialökonomischen Nachwirkungen. — Historische Bedeutung der merkantilistischen Theorie, ihr Zusammenhang mit den staatlich-absolutistischen Bestrebungen und die besondere Ausprägung beider in der deutschen Viel- und Kleinstaaterei. — Aufstreben des preußischen Staates, seine Wirtschafts- und Sozialpolitik. — Einwirkungen der französischen Revolution und der napoleonischen Eingriffe bis zur Kontinentalsperre auf die Umgestaltung der wirtschaftlichen und sozialen Zustände in Deutschland. — Ansätze physiokratischer und konstitutioneller Bestrebungen am Beginn des 19. Jahrhunderts.

6. Reine und angewandte Naturwissenschaften, Warenkunde, Technologie.

Experimentalphysik, und zwar Mechanik, Akustik, Wärmelehre — mit Experimenten — *Mo, Di, Mi, Do 12-1* . . . . Martens *(117)*

Mechanische Grundbegriffe; Gleichgewicht und Bewegung starrer Körper; Gleichgewicht und Bewegung von Flüssigkeiten; Elastizität, Oberflächenspannung, Diffusion.

Dozent:

Musikalische Klänge; Fortpflanzung des Schalles; Schallwellen; freie und erzwungene Schwingungen von Saiten; Schwingungen der Luft in Röhren.
Temperaturmessung; thermische Ausdehnung; Wärmeeinheiten; mechanische Wärmetheorie; Schmelzpunkt; gesättigte Dämpfe und Siedepunkt; überhitzte Dämpfe und Dampfdichte; Feuchtigkeitsmessung; kritische Temperatur und Kondensation der Gase; thermochemische Beziehungen; thermo-dynamische Maschinen und das Carnotsche Prinzip; Fortpflanzung der Wärme.

Fabrikbetrieb und Antriebsmaschinen — mit Demonstrationen — *Fr 12-1.* (Ausflüge nach Verabredung) . . . . Martens *(117)*

Konstruktionsbureau, Modelltischlerei, Formerei, Gießerei, Bearbeitung. — Dampfmaschinen, Dampfturbinen, Gasmotoren, Elektromotoren.

Die neueren Errungenschaften auf dem Gebiete der Physik — mit Experimenten — *Do 9-10 Abends* . . . . Martens *(117)*

Flüssige Luft; Röntgenstrahlen; Strahlung und sonstige Eigenschaften des Radiums; singende Bogenlampe; Hertzsche Wellen und drahtlose Telegraphie; Demonstration von Schallschwingungen; Ultramikroskopie.

Physikalisches Praktikum für Anfänger — *Di, Fr 3-6* Martens

Anleitung zum selbständigen physikalischen Arbeiten für Vorgeschrittene — täglich, außer Sonnabends, 9 bis 6 Uhr . . . . Martens

Grundzüge der Chemie, insbesondere anorganische Chemie — mit Experimenten — *Mo, Di, Mi 11-12* . . . . Binz *(213)*

Theorie der Atome und Moleküle, Wasserstoff, Sauerstoff, Stickstoff, Wasser, Luft, Chlor, Brom, Jod, Schwefel, Säuren, Ammoniak, Phosphor, Arsen, Kohlenstoff, Silicium, Einführung in die Chemie der Metalle und Salze.

Chemische Technologie und Warenkunde, hauptsächlich der organischen Stoffe — *Do, Fr 11-12* . . Binz *(213)*

Industrie der Heizstoffe: Holz, Torf, Braunkohle, Steinkohle, Koks, Generatorgas. — Graphit und Bleistiftindustrie. — Destillation des Holzes: Holzkohle, Holzteer, Rohessig, Holzgeist, Formaldehyd. — Destillation der Braunkohle: Braunkohlenteer, Solaröl, Paraffin, die Kerzenindustrie. — Beleuchtungstechnik: Leuchtgas, Gasglühlicht, Acetylen. Erdöl: Benzin, Petroleum, Schmieröl, Vaseline. — Industrie der Fette und Oele: Milch, Butter, Käse, Margarine, Stearin, Seife, Glycerin, Olivenöl, Leinöl, Linoleum. — Die Lackfabrikation. — Die Sprengstoffe. — Zucker, Stärke. — Papier. — Wein, Bier, Spiritus. — Gerberei.

Dozent:

Chemische Grundlagen der Textilindustrie — *Di 8-9 Abends* . . . . Binz

Seide, Wolle, Baumwolle, Mercerisation, künstliche Seide, Leinen, Ramie, Hanf, Jute, Bleicherei, Färberei, Druckerei, Grundzüge der Farbstofffabrikation. *(213)*

Chemisches Praktikum für Anfänger — *Mo, Do 3-6* Binz

Anleitung zum selbständigen chemischen Arbeiten für Vorgeschrittene — täglich, außer Sonnabends, 9 bis 6 Uhr . . . . Binz

7. Sprachen.

Der praktischen Erlernung des schriftlichen und mündlichen Gebrauchs fremder Sprachen dienen die Übungen des »*Handelshochschul-Seminars für fremde Sprachen*«.

Für das Wintersemester 1906/7 werden zunächst *Elementar*kurse für Anfänger im Russischen, Spanischen und Italienischen veranstaltet; bei hinreichender Teilnehmerzahl finden auch Kurse für Fortgeschrittenere statt. Im Englischen und Französischen werden *Mittel-* und *Ober*kurse eingerichtet; jene setzen die Vorkenntnisse voraus, die in deutschen Realanstalten bei der Versetzung nach Obersekunda verlangt werden, diese sind für Fortgeschrittene bestimmt.

Jeder Kursus umfaßt 4 wöchentliche Übungsstunden, die an zwei Nachmittagen, in der Regel von 4-6 Uhr, stattfinden. Die Montage und Donnerstage sind für das Französische, die Dienstage und Freitage für das Englische, die Mittwoche und Sonnabende für die übrigen Sprachen in Aussicht genommen. Die Unterrichtssprache ist soweit als möglich die fremde Sprache. Im Interesse einer gründlichen Ausbildung des einzelnen ist die Zahl der Teilnehmer an den Kursen beschränkt.

Anmeldungen für das Seminar sind sofort zu Anfang des Semesters auf dem Sekretariat der Handelshochschule zu machen unter genauer Angabe der Vorbildung. Die Anmeldungen verpflichten zum regelmäßigen Besuch der Übungen.

Dozent:

Studierende, welche Kurse in anderen europäischen Sprachen (portugiesisch, dänisch, schwedisch u. s. w.) zu nehmen oder eine Ausbildung in außereuropäischen Sprachen (japanisch, chinesisch, arabisch, suaheli u. s. w.) zu erlangen wünschen, werden ersucht, sich dieserhalb unmittelbar nach Beginn des Semesters an das Rektorat zu wenden. Bei ausreichender Beteiligung werden die gewünschten Kurse eingerichtet

8. Theorie und Praxis des kaufmännischen Unterrichts.

Organisation des kaufmännischen Unterrichtswesens in Deutschland — *Di, Fr 7-8* . . . . . Dunker *(204)*

Geschichtliche Einleitung — Praktische Lehre und Schule. — Private Veranstaltungen — Freie und obligatorische Fortbildungsschulen. — Handelsrealschulen und Handelshochschulen. — Kaufmännische Schulen für Mädchen.

Seminar für Handelslehrer — *Mi 4-6 (Geogr. Sem.)* . . Dunker *(126)*

Besprechung der neueren Organisationen deutscher Großstädte. — Lehrpläne. — Vorträge. — Besuch der kaufmännischen Schulen Berlins.

9. Allgemeine wissenschaftliche Ausbildung.

(Abendvorlesungen.)

Einführung in philosophische Studien — *Mo 7-8* . . Frischeisen-Köhler *(101)*

Aufgabe und Bedeutung der Philosophie. — Grundlagen und Mittel des Erkennens. — Die geistige und die körperliche Welt. — Grenzen des Erkennens. — Hauptfragen der Metaphysik. — Die großen metaphysischen Systeme — Wahrheitswert der Metaphysik. — Das Problem der Weltanschauung in der Gegenwart.

Englisches Kulturleben der Gegenwart — *Mi 6-7* . . Saenger *(26)*

1. Das englische Kulturgebiet; der Kulturträger nach Rasse, Abstammung und Sprache; Bevölkerungsverhältnisse; Stadt und Land; Beruf und Erwerb. — 2. Die äußeren Formen des Gemeinschaftslebens: Der Staat und seine Einrichtungen; die Gemeinde und ihre Einrichtungen; das Recht und seine Einrichtungen. — 3. Die ideellen Formen des Gemeinschaftslebens: Religiöses und kirchliches Leben; Sitte und Sittlichkeit; Wissenschaft, Bildung, Erziehung (Universitäten und Schulen); die Literatur (besonders die Presse); die Künste und ihre Pflege Rückblick und Ausblick.

Dozent:

Die Kulturentwickelung Rußlands von Peter dem Großen bis auf die Jetztzeit — *Mo 6-7* . . Palme *(203)*

Territoriale Entwickelung. — Kulturzustand Rußlands vor Peter d. Gr. — Die Reformen Peters d. Gr. — Das kaiserliche Rußland des 18. Jahrhunderts. — Die Verfassungsentwürfe Alexanders I. — Klassische Periode der russischen Literatur. — Die Reaktion unter Nikolaus I. — Sammlung und Systematisierung der Gesetze. — Literatur der 40er Jahre. — Die großen Reformen der 60er Jahre: Bauernbefreiung, Selbstverwaltung, Gerichtsreform. — Die Reaktion unter Alexander III und Nikolaus II. — Die Revolution und die Zustände der Jetztzeit. — Die Agrarfrage, die Nationalitätenfrage, die Verwaltungsreform.

Deutsche Literaturgeschichte der neuesten Zeit — *Fr 8-9 Abends* . . . . Herrmann *(25, Kapelle)*

Rückblick auf die Leistungen der Generation 1848—1880: Realismus. — Deutsche Kultur und Kunst seit 1880. Naturalistische Theorie. Schiffbruch der Lyrik. — Ausländischer Einfluß: Zola, die Russen, Ibsen. — Entwicklung der Literatur in drei Stufen: 1. Selbständige Dichter: Wildenbruch, Fontane, Liliencron, 2. der neurealistische Roman: Kretzer, M. G. Conrad, Bleibtreu, Conradi u. a., 3. der konsequente Naturalismus und das Drama: Holz und Schlaf; Gerhart Hauptmann u. a.

Rembrandt (mit Lichtbildern) *Di 9-10 Abends* . . . Justi *(117)*

Systematischer Teil · Composition. — Licht. — Farbe. — Malweise. — Bewegung — Linie — Form. — Auffassung.

Chronologischer Teil: Die Leidener Zeit. — Die ersten Amsterdamer Jahre — Die Sturm und Drangzeit — Die Landschaften. — Der späte Rembrandt.

Die Entwickelung des neueren Kunstgewerbes — *Mo 8-9 Abends* . . . . Muthesius *(117)*

Frühere Beziehungen zwischen Handwerk und Kunst (alte Welt, Gotik, Japan). — Die Entstehung des Begriffs Kunstgewerbe im 19. Jahrhundert. — Die Weltausstellung in London 1851. — Der Neuausgang in England um 1860. — Der Höhepunkt der englischen Bewegung um 1880.

Kunstgewerblicher Umschwung auf dem Continent um 1895. — Früherer Stand des deutschen Kunstgewerbes. — Stilreproduktion und Kunstindustrie. — Die neue individuelle Kunst. — Das neue Ornament. — Cultus der Linie. —

Neue Ziele der Bewegung: Bilden, nicht Dekorieren; Materialechtheit; Wahrheit in der Konstruktion; Beziehungen zwischen Zweck und Form; Neubildungen im Möbel, Schmuck, Metall, Glas, Textilfabrikat. — Die Maschine in ihrem Verhältnis zur Kunst. — Kunstindustrie und Handerzeugnis in ihren wirtschaftlichen Konsequenzen. — Wesen des Maschinenerzeugnisses. — Das echte und das falsche Maschinenerzeugnis. — Die künstlerischen Möglichkeiten des Maschinenerzeugnisses. — Die Schönheit der glatten Zweckform. — Wohnungskunst. — Das Kunstgewerbe als Kunsterzieher. — Veredelung der kunstgewerblichen Produktion. — Weckung eines Exports von Edelerzeugnissen.

10. Fertigkeiten.

	Dozent:
Stenographie (System Stolze-Schrey)	Coprian
desgl. (Syst. Gabelsberger) *4-6 Nachmittags* (Die Unterrichtstage und -Räume werden später bekannt gegeben.)	Goldmann
Vervollkommnung in kaufmännischer Handschrift	außerhalb des Lehrplanes nach besonderer Vereinbarung mit Fertigkeitslehrern
Zeichnen, insbesondere gewerbliches Zeichnen .	außerhalb des Lehrplanes nach besonderer Vereinbarung mit Fertigkeitslehrern
Turn- und Fechtkurse	siehe oben Seite 10, 20.

X.

Stunden-Übersicht.

Handelshochschule Berlin.

Winter-Semester 1906/1907.

Stunden-

Stunde	Montag	Hörsaal	Dienstag	Hörsaal	Mittwoch	Hörsaal
9—10	**Dunker**, Allg.Wirtsch.-Geogr. **Leitner**, Wechselkunde	204 26	**Jastrow**, Einführung in das akademische Studium	25	**Dunker**, Allg.Wirtsch.-Geogr. **Jastrow**, Gew.- u. Hdlspolitik **Schaer** u. **Calmes**, Handelswissenschaftl. Seminar	204 25 4
10—11	**Leitner**, Hilfsmittel der kfm. Arithmetik	26	**Schaer**, Handelsbetriebslehre	101	**Leitner**, Bankbuchhaltung **Schaer** u. **Calmes**, Handelswissenschaftl. Seminar	26 4
11—12	**Binz**, Chemie (anorg.) **Eltzbacher**, Handelsrecht **Leitner**, Übung. aus kaufm. Arithmetik	213 205 26	**Binz**, Chemie (anorg.) **Eltzbacher**, Handelsrecht **Schaer**, Kalkulationslehre	213 205 101	**Binz**, Chemie (anorg.) **Eltzbacher**, Handelsrecht **Leitner**, Kontokorrent-Rechn. **Schaer**, Buchhaltung	213 205 26 101
12—1	**Martens**, Experimentalphysik **Eltzbacher**, Bürgerl. Recht	117 203	**Martens**, Experimentalphysik **Eltzbacher**, Bürgerl. Recht	117 203	**Martens**, Experimentalphys. **Sombart**, Allg. Nationalök.	117 25
1—2					**Sombart**, Allg. Nationalök.	25
3—4						
4—5	**Binz**, Chem. Prakt. f. Anf. **Schlüter**, Mitteleuropa *)	101	**Martens**, Phys. Prakt. f. Anf. **Eltzbacher**, Juristische Übungen *)	203	**Dunker**, Seminar für Handelslehrer **Schär** u. **Calmes**, Einführung in die Buchhaltung *)	126 4
5—6			**Heilfron**, Recht der Handelsgeschäfte	26	**v. Liebig**, Übungen im Versicherungswesen **Dunker**, Seminar für Handelslehrer **Schär** u. **Calmes**, Einführung in die Buchhaltung	26 126 4
6—7	**Leitner**, Bilanzkunde **Osterrieth**, Patent-, Muster- und Markenschutz **Palme**, Kulturentwickelung Rußlands	25 26 203	**Leitner**, Bilanzkunde **Heilfron**, Zivilprozeß **Obst**, Technik des Bankbetriebes (Kolloquium)	25 26 205	**Leitner**, Bilanzkunde **Saenger**, Engl. Kulturleben	25 26
7—8	**Hager**, Recht des Versich.-Vertrages **Frischeisen-Köhler**, Einführung i. philos. Studien	26 101	**Dunker**, Organisation d. kfm. Unterrichtswesens in Deutschland **F. Meyer**, Wechselrecht **Obst**, Technik d. Bankbetrieb.	204 26 205	**Heilfron**, Grundbuch- und Hypothekenrecht **Hoeniger**, Allgem. Handelsgeschichte **Manes**, Allg. Versicherungsl.	26 101 204
8—9	**Eltzbacher**, Konkursrecht **Muthesius**, Entwickelung d. Kunstgewerbes **Bendix**, Geldmarkt	203 117 26	**Binz**, Chem. Grundlagen der Textilindustrie **Dunker**, Die Ver. Staaten v. Amerika **Obst**, Wechselpraktikum (f. Anf.)	213 101 204	**Buhmann**, Geschichte und Organisat. d. Buchhandels **Goldschmidt**, Geschichte u. Ortskunde von Berlin **Manes**, Allg. Versicherungsl	205 25 204
9—10	**Jastrow**, Die soziale Frage in Vergangenheit und Gegenwart	202	**Justi**, Rembrandt **Marcuse**, Einführung in die Himmelskunde (mit Lichtbildern)	117 202	**Buhmann**, Technik des Verlagsbuchhandels	205

*) Zwischen 4—6 Uhr täglich **Seminar für Sprachen (Französisch**, Mo, Do, **Englisch**, Di, Fr, **Spanisch, Italienisch, Russisch etc.**, Mi, Sb) **und Stenographie.**

Donnerstag	Hörsaal	Freitag	Hörsaal	Sonnabend	Hörsaal
Jastrow, Besprechungen im Anschluß an die Einführung	25	**Jastrow**, Einführung in das akademische Studium	25	**Dunker**, Allg. Wirtsch.-Geogr. **Jastrow**, Gew.-u. Handelspolitik	204 25
Leitner, Bankbuchhaltung **Schaer**, Handelsbetriebslehre	26 101	**Leitner**, Bankbuchhaltung **Schaer**, Handelsbetriebslehre	26 101	**Albrecht**, Muster-Wohlfahrts-Einrichtungen **v. Bortkiewicz**, Versich.-Rechn.	204 26
Binz, Chem. Technologie **Eltzbacher**, Handelsrecht **Schaer**, Kalkulationslehre	213 205 101	**Binz**, Chem. Technologie **Leitner**, Kontokorrent-Rechn. **Schaer**, Buchhaltung	213 26 101	**v. Bortkiewicz**, Versich.-Rechn.	26
Martens, Experimentalphysik **Eltzbacher**, Bürgerliches Recht	117 203	**Martens**, Fabrikbetrieb und Antriebsmaschinen **Sombart**, Allg. Nationalökonomie	117 25		
		Sombart, Allg. Nationalök.	25		
Binz, Chem. Prakt. f. Anf. — **Schlüter**, Mitteleuropa **Eltzbacher**, Jurist. Übungen	101 203	**Martens**, Phys. Prakt. f. Anf.			
*) **v. Liebig**, Privat-Versicherung **Sombart**, Volksw. Übungen	26 105	*) **Heilfron**, Recht der Handelsgeschäfte	26	*)	
v. Liebig, Privatversicherung **Rahts**, Statistik **Obst**, Technik d. Bankbetriebes **Sombart**, Volksw. Übungen	26 204 205 105	**Heilfron**, Zivilprozeß **Schär u. Calmes**, Handelskorrespondenz	26 4		
Eger, Eisenbahnrecht **Obst**, Bankseminar **Manes**, Arbeiterversicherung	101 3 26	**Dunker**, Organisation des kfm. Unterrichtswesens **Hoeniger**, Wirtsch. und soziale Entwickelung Deutschlands **Crüger**, Genossenschaftswesen **Jastrow**, Kolloqu. über Tagesfr.	204 101 26		
Obst, Bankseminar **Schaer**, Buchhaltung für Nichtkaufleute **Sombart**, Abschnitte aus der Geschichte der Wirtschaft	3 25 202	**Herrmann**, Deutsche Literaturgeschichte d. neuesten Zeit **Dunker**, Die Vereinigt. Staaten von Amerika **Jastrow**, Kolloqu. über Tagesfr.	25 101		
Martens, Die neueren Errungenschaften a. d. Gebiete d. Phys. **Preuß**, Staatsrecht **Obst**, Geld-, Bank- u. Börsenwesen	117 101 25				

Großes **chemisches und physikalisches Praktikum für Vorgeschrittene** täglich außer Sonnabends, 9—6 Uhr.

XI.

Adressen für Anfragen und Meldungen.

Anfragen etc. sind zu adressieren:

a) wenn sie die Verwaltung der Handelshochschule betreffen:

An die Aeltesten der Kaufmannschaft von Berlin

Berlin C. 2,

Neue Friedrichstr. 51/52

b) wenn sie Unterrichts-Angelegenheiten der Handelshochschule betreffen:

An den Rektor der Handelshochschule

Berlin C. 2,

Spandauer Strasse 1.

FSC
www.fsc.org
MIX
Papier | Fördert gute Waldnutzung
FSC® C083411

Kolibri 360 GmbH
Ferdinand-Jühlke-Straße 7
99095 Erfurt, Deutschland
produktsicherheit@kolibri360.de